DU MÊME AUTEUR

Aux Éditions Gallimard

LES ROCHERS DE POUDRE D'OR, 2003. Prix RFO du Livre 2003, prix Rosine Perrier 2004 (Folio n° 4338)

BLUE BAY PALACE, 2004. Grand Prix littéraire des océans Indien et Pacifique 2004 (Folio n° 5865)

LA NOCE D'ANNA, 2005. Prix Grand Public du Salon du livre 2006 (Folio n° 4907)

EN ATTENDANT DEMAIN, 2015, Prix Mille et une feuilles 2015 (Folio n° 6166)

TROPIQUE DE LA VIOLENCE, 2016. Prix du roman France Télévisions 2017, Prix Anna de Noailles de l'Académie française 2017, Prix Femina des lycéens 2016 (Folio n° 6481)

PETIT ÉLOGE DES FANTÔMES, 2016 (Folio 2 € n° 6179)

UNE ANNÉE LUMIÈRE, 2018

Aux Éditions de l'Olivier

LE DERNIER FRÈRE, 2007. Prix du Roman Fnac 2007, prix des lecteurs de *L'Express* 2008, prix Culture et Bibliothèques pour tous 2008, prix de la Fondation France Israël 2011 (Points n° 1977)

LE CIEL PAR-DESSUS LE TOIT

NATHACHA APPANAH

LE CIEL
PAR-DESSUS LE TOIT

roman

GALLIMARD

Je me tiens au centre de ce que je ne veux pas nommer
Si je dis le vrai nom des choses qui habitent ici
La beauté la tendresse et l'imagination s'envolent à travers la fenêtre
J'oublie parfois, pourtant
Voici un lit, voilà une chaise, ici une cuvette
Dehors des bruits de bottes et des clés qui tournent
Tiens, quelque chose au coin de mon œil
C'est une blatte si noire et absolument immobile
Il y a des taches sombres sur le mur où est fixé le lit je sais ce que c'est
Je sais comment elles naissent et si je reste ici assez longtemps je
    finirai par laisser une trace moi aussi
Quelle forme prendrais-je sur le mur
Est-ce que d'autres que moi essaieraient de deviner
Comme dehors on s'allonge sur l'herbe et on démasque les nuages
Ils diraient je vois je vois
Un chien un insecte un serpent
J'aimerais tant que ce soit autre chose
Un ciel une étoile un rêve

Derrière moi une voix aiguë s'élève
Salaud enculé ta race
Je ferme les yeux et lentement chaque chose ici laisse tomber son nom
Le mien aussi je l'oublie peu à peu
Je ne suis rien qu'un garçon de l'ombre
Chaque son se ramasse flétrit s'éteint
Bientôt ne reste plus que le bruit blanc que fait mon cœur

Écrou 16587, Maison d'arrêt de C.

Il était une fois un pays qui avait construit des prisons pour enfants parce qu'il n'avait pas trouvé mieux que l'empêchement, l'éloignement, la privation, la restriction, l'enfermement et un tas de choses qui n'existent qu'entre des murs pour essayer de faire de ces enfants-là des adultes honnêtes, c'est-à-dire des gens qui filent droit.

Ce pays avait heureusement fermé ces prisons-là, abattu les murs, promis juré qu'il ne construirait plus ces lieux barbares où les enfants ne pouvaient ni rire ni sangloter. Parce que ce pays croit en la réconciliation du passé et du présent, il a gardé un portail d'entrée pour que se souviennent ceux qui s'intéressent à ces traces-là, qui croient aux fantômes et aux histoires qui ne meurent jamais. Pour les autres, c'est l'entrée d'un beau square, en pleine capitale, et ils viennent s'y promener, s'y reposer, admirer le ciel ouvert, si bleu, si calme. Ils viennent en famille, avec leurs propres enfants et c'est aussi ça, ce pays, un jardin sur des anciennes larmes, des fleurs sur des morts, des rires sur des vieux chagrins.

Plus tard, parce que toujours ont existé les enfants récalcitrants, les enfants malheureux, les enfants étranges, les enfants terribles, les enfants qui font des choses terribles, les enfants tristes, les enfants stupides, les enfants qui n'ont jamais eu d'amour, les enfants qui ne savent pas ce qu'ils font, les enfants qui ne font qu'imiter ce que font les grands, ce pays a trouvé d'autres moyens pour les guérir, les redresser, les corriger, les observer, afin qu'ils deviennent des adultes à peu près corrects, c'est-à-dire des gens qui pourraient aller se promener dans des jardins, sous un ciel ouvert, bleu et calme.

Mais toujours et encore, il y a les murs qui entourent, qui séparent, qui aliènent, qui protègent et qui ne guérissent pas les cœurs. Il y a les gens dehors, les gens dedans, histoires toutes tracées, histoires de déterminisme, accidents, hasards, la faute à pas de chance, coupables, innocents, et voilà ce monde, à nouveau, qui se dessine tel un tableau abstrait où il est difficile de trouver un visage ami, un être cher, de s'accrocher à un sentiment connu, une couleur préférée.

Il était une fois, donc, dans ce pays, un garçon que sa mère a appelé Loup. Elle pensait que ce prénom lui donnerait des forces, de la chance, une autorité naturelle, mais comment pouvait-elle savoir que ce garçon allait être le plus doux et le plus étrange des fils, que telle une bête sauvage il finirait par être attrapé et c'est dans le fourgon de police qu'il est, là, maintenant, une fois cette page tournée.

Lundi matin mais ceci n'est pas le début

Soudain, ce calme étrange et ouaté comme une toile posée sur lui et qui le recouvrirait tout entier. Il observe à travers ce tissu imaginaire les visages des deux hommes en uniforme en face de lui et il n'y voit aucune menace. Ce sont deux hommes qui l'accompagnent, c'est tout, pourquoi s'en faire, ils sont flous et, à sa manière de faire rimer les mots dans sa tête, il se dit que ce qui est flou est doux, un peu mou. Comme : les nuages, un dessin fondu au doigt, le fond de l'eau, la brume sur la ville. Derrière les deux hommes, il y a une vitre à travers laquelle défile un ciel bleu et calme, parfois quelques cimes d'arbres et quand le véhicule s'arrête, le garçon cherche quelque chose qu'il pourrait retenir des yeux, un oiseau, une feuille dans le vent, une ligne électrique. Ce qu'il entend semble lui parvenir de loin : le ronronnement du moteur, son souffle apaisé, son cœur qui bat doucement. Il baisse les yeux sur ses mains entravées par des menottes (quenotte, culotte) et attend qu'il se passe quelque chose parce que, d'aussi loin qu'il se souvienne, il n'a jamais supporté d'être enfermé ou empêché.

Il attend que ça arrive même si ça « n'arrive » jamais, en réalité ça déboule, ça renverse, ça éclate à la gueule.

Il surveille l'emballement du cœur, il guette la sensation de chaleur, puis le chaud-froid avec la transpiration, il se prépare aux impatiences dans les jambes et aux spasmes autour de sa bouche. Il pare à son esprit qui bientôt, forcément, fourmillera de pensées désordonnées, bruyantes, insensées, et cela lui fera l'effet d'une foule en panique dans sa tête.

Alors, il le sait, ça se passera comme ça : il se mettra à se tortiller, à essayer de se mettre debout, il tentera de dire son malaise mais ce sera un galimatias et son envie de sortir d'ici ne fera que grandir, il regardera désespérément dehors, tordant la nuque dans tous les sens, il fera le geste de plonger vers la porte ou vers la grille qui les sépare du chauffeur puisque dans ces moments-là la crainte de se faire mal n'existe plus et les deux hommes en face de lui sortiront leur matraque pour le maîtriser ou peut-être se serviront-ils seulement de leurs bras musclés pour le maintenir assis, il sentira leur poids d'adulte sur lui et ce sera bien pire. Il commencera à crier et eux aussi commenceront à lui donner des ordres même s'ils ajoutent *mon garçon* à la fin de ces ordres-là parce qu'il faut l'imaginer, ce garçon qui a l'air d'avoir douze ans avec ses lèvres en sang à force de les avoir mordillées, ses yeux grands et tristes comme ceux d'un animal exotique. Tous seront ballottés par le véhicule lancé à pleine vitesse et qui aura, à cet instant, déjà actionné sa sirène (baleine, phalène). Son esprit déconnecté de toute raison dans ces moments-là, il ne cessera de crier et de se débattre ridiculement, même maîtrisé, même les jambes entravées, et eux tous, les policiers, le chauffeur, les autres qui l'attendront à sa descente, l'infirmier, le directeur, les surveillants et peut-être même les autres prévenus, tous alors diront *Ah ben celui-là il porte bien son nom*, parce qu'il faut le préciser désormais, ce garçon s'appelle Loup.

Il continue de regarder ses mains, d'attendre mais pourtant rien ne se passe, c'est toujours ce silence moelleux et c'est si apaisant que le garçon en pleurerait. Il voudrait que ce moment-là, quand celui qu'il a toujours été n'existe plus, dure longtemps parce que toujours il a été tourmenté et inquiet, toujours il a souhaité se débarrasser de sa peau comme certains animaux à la fin de l'hiver (misère, vipère) pour renaître plus fort, plus calme, plus intelligent. Il voudrait que sa mère soit là pour être témoin de ce moment et peut-être qu'elle lui offrirait un de ses sourires si rares et durant lesquels il est littéralement ébloui.

Le visage de Loup est lisse, franc et inspire la confiance. L'été, il ressemble à un surfeur avec ses cheveux qui virent au jaune, sa peau qui se cuivre et il arrive alors qu'on lui demande *Tu viens d'où, en réalité, toi ?* et Loup ne sait pas quoi répondre. Il ne connaît pas son père mais quand il rencontre des hommes comme lui dans la rue, ni noir ni blanc, il se demande s'il pourrait être leur fils. Sa sœur, qui ne connaît pas son père non plus, est blanche comme leur mère, voilà c'est tout, ça s'arrête là. Dans son esprit, elle est petite, elle est sans bruit, elle est sans colère, elle chuchote, elle ne rit pas, elle pouffe, elle sourit souvent et, comme lui, elle a souvent peur. Mais ça, c'est dans son souvenir et il en a assez de les nourrir, ces histoires qui n'existent peut-être que dans la tête et il finit par se demander si c'est vrai ou pas, ces choses-là, si cette sœur a existé, si ce moment-là, avec ce couteau et ce gâteau, a vraiment eu lieu, si les paroles entendues à ce moment-là ont vraiment été dites.

Quand on lui parle, à Loup, il vous regarde dans les yeux mais souvent il ne vous entend pas. Son esprit a des manières étranges de mélanger le temps, les mots, les actes. Il se souvient : son grand-père à l'accordéon, son premier jour d'école et le bonbon que sa sœur lui avait donné ce jour-là et si vous saviez comment ce goût sucré de fraise lui revient de temps en temps ! Il se souvient d'un chien qui nageait très vite dans le canal, d'avoir pris la voiture et conduit sans s'arrêter, du dragon sur le dos de sa mère, de l'arbre de Noël en plastique au grenier, du visage de sa sœur éclairé par la télévision et de la façon dont elle se tournait vers lui en ouvrant un bras pour qu'il vienne s'y blottir. Il se souvient : l'éléphant en bois noir sur le bureau du docteur Michel, l'odeur de métal et d'essence dans la cour, le creux dans le jardin, son envie irrépressible de retrouver sa sœur. Ces bouts de souvenirs accolés les uns aux autres forment un même morceau de mémoire sans chronologie, comme si tout ça était arrivé dans la même journée.

Si vous parlez à Loup, parfois il vous écoutera mais la

plupart du temps il observera comment vos dents sont alignées, il surveillera le mouvement de vos paupières, il étudiera vos yeux, votre nez, il remarquera la veine qui bat sur le côté droit de votre front, la commissure de vos lèvres qui tressaille un peu quand vous réfléchissez, il enregistrera le ton de votre voix. Quand vous tournerez le dos, il se souviendra précisément de votre visage et de la manière dont celui-ci bouge ; c'est un peu comme s'il avait vu votre crâne et l'attachement complexe des muscles et des tendons. Il pourrait vous imiter parfaitement. Est-ce pour cela que son visage semble vaguement familier, comme s'il faisait penser à quelqu'un d'autre que lui, comme si son visage ne lui appartenait pas ? S'il était un animal, il aurait été certainement un caméléon mais pas un loup, sûrement pas un loup.

Il y a longtemps, le docteur Michel lui avait dit que tous les examens étaient bons et qu'il était, donc, en bonne santé. Le docteur s'était alors tourné vers la mère de Loup. Se rendait-il compte combien ses yeux s'adoucissaient quand il la regardait et de la façon dont ses épaules s'arrondissaient ? Le médecin lui avait dit, en baissant d'un ton sa voix, *Ne vous inquiétez pas, Phénix, il n'est pas malade* et elle, debout, bras croisés sur sa poitrine, avait ouvert la bouche mais aucun son n'était sorti. Elle s'était alors tournée vers Loup et son regard sur lui, lourd de reproches d'être ce qu'il était, bizarre, étrange, bête mais pas malade, de ce regard-là, comment guérir ?

C'était hier, peut-être, ou avant-hier, il ne sait plus. Il avait raconté ce qu'il avait fait, ce policier avait tout tapé à l'ordinateur et c'était si simple que cet homme (front très large, petits yeux qui tremblent, nez en boule, lèvres fines, de ça Loup se souvient parfaitement) lui demandait à chaque fois *C'est tout ?*

C'était simple et c'était tout, oui : Loup avait rêvé de sa sœur qu'il n'avait pas revue depuis des années et quand il s'était réveillé, son chagrin se tenait sur lui, comme un gros animal, et Loup avait eu l'idée de prendre la voiture de sa mère et de conduire jusqu'ici. Loup savait qu'il n'avait pas le droit de conduire mais sa sœur lui manquait tellement, c'est tout. Il n'avait pas le permis, il avait conduit prudemment jusqu'à l'entrée de la ville où il s'était trompé de sens. Après, il y a eu tous les bruits, les cris, sa voiture dans le fossé. Et sa crise de nerfs quand les policiers sont arrivés, aussi.

Ce matin peut-être ou il y a dix minutes : le juge l'a placé en mandat de dépôt au quartier mineurs, à la maison d'arrêt de C., et Loup avait ressenti un soulagement à l'énoncé de cette ville parce que sa sœur vivait dans la commune d'à côté. Il avait failli réussir. Il y était, presque.

À travers l'ouverture rectangulaire du fourgon, c'est la ville désormais qui dessine ses formes dans le ciel et un des policiers dit *Ça y est*. Sa voix est grave et plate, comme s'il avait simplement émis une pensée à haute voix. Loup regarde à travers la grille qui les sépare du chauffeur et par-delà le pare-brise, la prison n'est pas celle qu'il avait imaginée. La grande porte est bleue et l'encadrement en forme de U renversé sur lequel est marqué « Prison cellulaire » est d'un blanc immaculé. Cela lui rappelle ce dôme bleu et ces surfaces blanches sur l'affiche « Partez dans les Cyclades ! » dans la vitrine de l'agence de voyages. Loup se sent perdu. Qu'est-ce que ça fait ici, cette beauté-là, cette couleur qui fait penser à la mer, au ciel ? C'est évidemment un piège, ce bleu-là, comme les sourires des gens qui viennent chercher des pièces de mécanique dans le jardin, le *Je reviens très vite te chercher* de sa sœur, le *Tu n'es pas malade* du docteur Michel. Loup sent son cœur qui s'emballe mais alors il aperçoit les bâtiments derrière cette porte bleue. Ce sont trois masses trapues dont les toits pointus sont en enfilade, par ordre croissant. On dirait un monstre à trois têtes et puisque Loup n'aime pas les mensonges, il est soulagé. Le voilà arrivé à destination.

Dimanche, la mère

Il faut se tenir dans le couloir pour l'apercevoir.

La lumière entre en biais dans cette cuisine et éclaire son dos. Elle porte une de ces chemises de nuit un peu désuètes en coton fin, ouverture à boutons sur le devant, sans manches, assez échancrée sous les aisselles pour permettre le mouvement et, parce que cet habit est bien trop ample pour elle, on entrevoit le gonflé de ses seins quand elle lève les bras.

Il est 8 heures à peine, ce dimanche, et il n'y a pas de bruit là où elle vit, en retrait de la ville, des quartiers et des pavillons, au bord d'une route mal entretenue qui semble être un cul-de-sac mais qui ne l'est pas puisqu'elle continue encore, serpentant entre les grands arbres, se parsemant de plus en plus de nids-de-poule rendant très difficile la circulation en automobile. Elle est recouverte de plaques de béton ici et là mais elle continue encore et encore jusqu'à couper en deux cette prairie où, parfois, apparaissent trois chevaux dont les robes bai sont si brillantes qu'elles font penser à des marrons glacés. À cet endroit, au printemps, la route est bordée de pissenlits et de pâquerettes qui se penchent jusqu'à effleurer l'asphalte et, après la prairie, elle marque un virage abrupt à droite, se resserre et bientôt elle longe le chemin de fer et elle vous emmène bien plus loin que vous ne l'auriez imaginé.

Comme ça, dans le rectangle étiré de lumière, cette femme pourrait être exactement ce qu'elle semble être : une mère de famille qui fait la vaisselle de la veille. Une femme, pieds nus, avec le soleil qui la réchauffe doucement à travers le tissu de sa chemise de nuit et qui ne pense à rien, vraiment, à ce moment-là, le crissement de l'éponge l'hypnotisant un peu car elle est de ces personnes qui n'ouvrent l'eau qu'une fois toutes les assiettes, tous les verres, tous les couverts frottés de mousse. Comme ça, vue de dos, tout est possible à imaginer, même la plus tranquille et douce des vies qui serait racontée avec cette voix apaisante à la radio, le dimanche matin.

Mais la vérité est autre. Elle prend la forme d'une migraine qui l'assaille depuis l'aube, depuis qu'elle a appris ce que Loup avait fait et quand elle frotte et frotte les assiettes jusqu'à en casser une, c'est l'intérieur de sa tête qu'elle souhaiterait briquer en réalité. Elle voudrait tout nettoyer pour pouvoir avoir l'espace et la capacité de visualiser ce qu'a fait Loup, ce garçon qui n'est pas comme les autres il faut l'avouer mais qu'est-ce qu'il a exactement ou qu'est-ce qu'il n'a pas précisément, elle ne le sait pas. Ce qu'elle sait c'est qu'il a pris la voiture dans la nuit et qu'il a conduit pendant sept heures, lui qui n'a pas de permis, ne peut pas prendre le bus tout seul, souffre de crises d'angoisse, peut passer des jours sans parler. Lui qui a des doigts magiques et peut réparer les petites choses en panne (sèche-cheveux, téléphone, perceuse), son regard fonctionnant comme une échographie et repérant ce qui cloche. Lui qui peut courir autour de la maison pendant deux heures sans s'arrêter, a peur du creux dans le jardin, ne veut pas la voir, elle, maintenant.

Cette migraine semble constituée d'un millier de pensées grouillantes comme une fourmilière géante et à voir cette assiette se briser en trois – trois morceaux distincts – elle se demande ce que ça peut bien vouloir dire. Elle aurait aimé pouvoir lire dans ces objets inanimés quand soudain ils se mettent à nous envoyer des signes pour nous avertir. Qui faisait ça avant ? pense-t-elle tout à coup. Comment elle s'appelait cette fille aux dreadlocks couleur de boue, celle qui vivait dans ce vieux wagon avec ses trois chiens ? Fanny ? Émilie ? Elle lançait des capsules de bière par terre, se penchait au-dessus d'elles comme un chaman pour lire « leur message ».

Dans la tête de cette femme en chemise de nuit blanche, il y a une phrase qui se faufile hors la fourmilière et qui résonne, aussi clairement que le bruit de cette assiette qui vient de se briser :

Tu auras deux enfants, Éliette.

C'est vrai qu'elle s'appelait Éliette à l'époque. Elle avait quatorze ans, elle zonait tous les après-midi avec des amis près de la gare et elle croyait qu'elle finirait par trouver à quoi elle sert, à qui elle pourrait être indispensable, pour toujours. Malgré le rire général qui avait suivi l'annonce de cet oracle aux dreadlocks, Éliette avait été secrètement soulagée. Cette prédiction lue dans des vieilles capsules de bière ne lui donnait-elle pas l'assurance que la colère qui grondait en elle constamment finirait par s'éteindre ? Qu'elle finirait par redevenir normale, qu'elle saurait comment incarner correctement ce corps, comment être, enfin, à nouveau, la fille de ses parents, cette Éliette dont ils parlaient comme d'un souvenir, comme d'une enfant disparue, une petite fille promise à un si bel avenir et qui avait tout cassé un jour de décembre quand elle avait onze ans ? Ses parents la regardaient désormais avec un mélange de pitié et d'incompréhension et plus d'une fois, elle a cru qu'ils allaient la secouer, lui demander de leur rendre maintenant, tout de suite, leur petite Éliette chérie.

La femme qui ne s'appelle plus Éliette rince ses mains et les place, encore mouillées, sur son visage. Elle tente d'éloigner ses souvenirs, le visage de ses parents, l'écho de la prédiction de la punk à chiens. Elle doit faire quelque chose pour Loup et elle n'a personne à qui demander conseil parce que les gens qu'elle croise, les gens à qui elle parle, les gens qu'elle affectionne, ne la connaissent pas vraiment. Ne la connaissent pas entièrement. À cet instant, devant son évier où la mousse chuinte encore, elle voudrait qu'on lui souffle une réponse, qu'on lui dise quoi faire et elle écouterait, promis juré.

Elle s'éloigne de l'évier, se place dans la lumière, glisse

ses mains humides dans ses cheveux, croise ses doigts et respire profondément. Deux filets d'eau qui avaient coulé le long de ses avant-bras tombent par terre et forment de parfaits petits soleils à ses pieds.

À quelle heure ce téléphone avait sonné ? 3 heures ? La voix qui l'avait informée du « délit grave » de son fils, arrêté à la sortie 16 du périphérique de C. : conduite sans permis et à contresens, un accident provoqué, deux personnes choquées, blessées peut-être on ne sait pas encore madame, heureusement qu'à cette heure il n'y a quasiment personne sur la route. Garde à vue, présentation auprès du juge des enfants demain, mandat de dépôt très certainement, faut voir madame, c'est le juge qui décide.

Ensuite, la voix de Loup, au téléphone, avant même qu'elle gueule puisqu'elle aurait gueulé c'est sûr elle n'est pas du genre à dire mon pauvre chéri qu'est-ce qui s'est passé, mon petit amour pourquoi tu as fait tout ce chemin, où voulais-tu aller comme ça pauvre chou ? La voix de son fils dans le téléphone *Je veux voir Paloma, seulement Paloma.*

Mais elle le savait ça, elle le sait depuis dix ans mais jamais elle n'aurait pensé qu'il en aurait été capable. Cette femme pense soudain à son propre père qui, un jour, il y a longtemps, avait fait ce même voyage en sens inverse pour venir voir Paloma parce que lui aussi ne voulait qu'elle, mais vite, elle repousse cette pensée, ce n'est pas le moment d'aller là, de faire des comparaisons, des liens entre les morts et les vivants, entre une action passée et une action présente.

Il faut se rapprocher pour bien voir.

Son biceps gauche est encerclé de trois lignes épaisses d'un centimètre chacune, d'un noir de jais. Sur son poignet droit, elle porte trois lignes du même noir mais aussi fines qu'un trait de stylo. Une liane de lierre, d'un vert profond, naît sous la saillie de la malléole, entoure sa cheville gauche, grimpe en s'entortillant le long de sa jambe et disparaît sous sa robe. Entre ses seins, que l'ouverture de sa chemise de nuit laisse entrevoir, il y a un oiseau à crête aux deux ailes déployées, à la queue majestueuse. C'est le premier tatouage qu'elle s'est fait faire, à dix-huit ans, pour inscrire à jamais le prénom qu'elle s'était choisi : Phénix.

Parce qu'elle ne veut pas réfléchir, parce qu'elle ne peut pas réfléchir, parce que Loup ne veut voir qu'une personne et que cette personne-là ce n'est pas elle, sa mère, elle avale deux somnifères, un verre de whisky, et s'affale sur son lit.

C'est étrange parfois comment l'esprit résiste à la chimie et à l'alcool, c'est curieux comme rien ne peut l'empêcher de tourner, de mélanger souvenirs et désirs, peurs et joies, ciel et mer.

Phénix rêve : elle est dans la voiture avec son fils, c'est lui qui conduit. Elle n'est plus en colère, elle n'a pas de migraine, elle rit, comment on dit déjà ?

À gorge déployée.

Elle sent sa nuque ployer sous le poids de sa joie et son fils conduit comme l'homme qu'il n'est pas, il ressemble à son père dans ce que son père avait de plus beau, sa peau couleur miel, son sourire franc. La voiture fonce sur cette route si lisse, si facile ! Le ciel est large au-dessus d'eux ! Phénix ne sait pas où ils vont exactement mais dans ce rêve, c'est sans importance. Loup n'est pas tout à fait lui dans ce rêve... mais non ! C'est tout le contraire, il est parfaitement lui, en pleine possession de son cerveau, de son corps, de ses mots. Il sait où il va. C'est un fils comme cela que Phénix avait espéré et c'est pour cela qu'elle lui a donné un prénom qui le tirerait vers le haut, qui le sortirait du lot, un prénom qui ferait de lui un homme respecté et redouté.

Phénix rêve : elle n'est plus dans la voiture mais dans le jardin, là où la terre cède et forme un creux. Dans le creux dorment un petit garçon et une petite fille. Lentement, le trou se creuse de plus en plus, en s'affaissant comme les sables mouvants, mais les enfants ne se réveillent pas, ils restent collés l'un à l'autre. Phénix hurle mais ils sont loin, ils sont inatteignables, elle ne les voit plus et alors, dans ce rêve, dans la toute dernière seconde avant qu'elle ne se réveille, elle les reconnaît : ce sont ses enfants.

Il faut se tenir immobile et regarder comment la vie nous joue des tours.

Le jour se termine quand la femme en chemise de nuit blanche se réveille, trempée de sueur. L'image de ses deux enfants qui disparaissent dans la terre est encore nette et l'angoisse ressentie dans son rêve est là, dans son ventre, le long de son dos, sur toute la surface de son crâne. Phénix aime à croire qu'elle occupe enfin la place qui lui est réservée dans ce monde et cette place-là ne lui a pas été offerte sur un plateau, oh non : elle est forte, elle est sûre d'elle, elle n'aime pas les trouillards et les femmelettes, elle élève seule son fils, elle peut parler de mécanique avec n'importe quel péquenaud du coin, elle a une haute tolérance à la douleur, elle se méfie des gens trop polis et elle ne pleure plus. Jamais.

Elle se lève, titube jusqu'à la cuisine, s'agenouille pour vider le placard sous l'évier. Il y a le flacon d'eau de Javel, le nettoyant pour sols, la crème à récurer, et elle ne sait pourquoi, peut-être pour bien saisir ce qu'elle est en train de faire, peut-être pour se donner le temps de changer d'idée, elle lit toutes les étiquettes. Elle allonge le bras pour saisir la vieille boîte de dosettes de lessive dans laquelle sont les lettres que sa fille lui a envoyées. Elles ont été nombreuses la première année puis se sont espacées. La dernière date d'il y a trois ans. Elle ne voulait ni les cacher, ni les jeter, ni les ranger comme un papier de l'administration. Elle aurait voulu les mettre au fin fond de sa tête, sous d'autres pensées, d'autres souvenirs, d'autres préoccupations. Alors, elle les a placées sous l'évier, derrière les flacons de détergent et dans cette vieille boîte. Elle ouvre la première lettre et en haut à droite, comme la bonne élève qu'elle a toujours été, sa fille a inscrit son nom, son adresse et son numéro de téléphone.

Phénix se relève vite, elle ne veut pas avoir le temps de regretter son geste, il faut comprendre qu'elle n'aime pas trop réfléchir, elle n'aime pas quand l'esprit avec ses manières tordues veut lui dicter sa vie. Elle décroche le téléphone et elle redevient cette femme forte, sûre d'elle, elle s'apprête à faire ce qu'elle doit faire, sans émotions, mais quand sa fille décroche avec un *Allô ?* si léger, si ouvert, comme si elle était heureuse, Phénix en reste bouche bée quelques secondes, elle cherche comment décrire cette voix, la voix de son enfant qui est partie il y a longtemps, cette enfant qui tressaillait tout le temps, qui toujours chuchotait. Sa gorge se serre mais jamais plus elle ne pleure cette femme-là alors elle déglutit et elle demande, pour s'assurer qu'elle n'a pas fait de faux numéro, pour réentendre cette voix chatoyante. Oui c'est ça, le mot. Chatoyant.

Paloma ?

Dimanche soir, la sœur

Plus tard, peut-être que Paloma repensera à ce soir-là, à la façon dont celui-ci avait glissé tout doucement sur le jour, et elle repensera à elle-même dans ce soir-là, à ses pensées qui allaient et venaient sans bruit, à son cœur bien au chaud, à l'abri, pulsant le sang sans le moindre hoquet, irriguant son corps jusque dans le moindre recoin. Elle se reverra devant la fenêtre, figure paisible dans la brise du crépuscule, regardant le ciel et cette nuit qui tombait comme elle aime que tombent les nuits.

Doucement, gentiment.

Cette nuit fond sur le jour en laissant des traînées roses et mauves et orange. Ce ciel, par-dessus les toits, ressemble à un morceau de soie chatoyant, pense-t-elle, et ça lui fait plaisir que ce chatoyant, qu'elle a rencontré jusqu'ici uniquement dans les pages de livres, lui vienne si aisément.

Son appartement se trouve au troisième étage, dans une petite résidence en retrait de l'avenue qui traverse la ville mais la vie du soir tombant lui parvient : la rumeur des voitures, la cloche du tramway à l'intersection, le rideau électrique du parking qui s'ouvre en grinçant et se referme en chuintant, les pas pressés dans le couloir de l'immeuble, quelques cris d'enfants qui jouent. C'est la fin du printemps et elle sait que les gens de son âge sont dehors, allongés sur l'herbe des parcs désormais ouverts tard, déambulant sur les grandes places pavées, assis en terrasse sur des chaises en osier verni, les corps tournés les uns vers les autres mais elle n'est pas comme ça, Paloma. Elle se tient à l'écart, un pas de côté toujours, comme prête à se glisser dans un coin d'ombre, cela lui vient de loin cette manière d'être mais dans ce crépuscule parfait, elle est loin de ces souvenirs-là. Elle se dit que si elle avait un petit balcon, elle aurait installé une chaise, une table, quelques plantes vivaces et elle se serait tenue là, ni dedans ni dehors, et ça lui aurait suffi.

Debout devant sa fenêtre, elle perçoit la mélancolie qui accompagne toujours cette heure bleue ; d'où émerge ce sentiment, se demande-t-elle, est-ce le mélange de tous les sentiments du soir, petits et grands, beaux et laids, fades et puissants ?

Sur la table, il y a un bouquet d'anémones qu'elle avait acheté l'avant-veille au vendeur sur le quai du tram. Paloma avait placé les anémones dans un verre à bière parce qu'elle n'a pas de vase chez elle bien qu'elle aime beaucoup les fleurs – elle préfère les bocaux vides, les cruches aux bords ébréchés, les verres à moutarde. Elle remarque alors en s'approchant que le cœur de chaque anémone a foncé et qu'autour de chaque cœur il y a de la poussière bleue. Elle se penche sur elles, émerveillée de ce qu'elle découvre, c'est bien la première fois qu'elle remarque ce changement de couleur bien que ce ne soit pas la première fois qu'elle achète des anémones sur le quai du tram et elle chuchote *C'est beau bleu.*

Doucement, gentiment.

Elle sourit encore et c'est le même effet que le chatoyant de tout à l'heure et même si c'est bancal, c'est une phrase sincère qui sort de sa bouche et ce n'est pas rien. Plus tard, peut-être qu'elle reformera ces mots sans bruit pour se rappeler qu'elle a été une fois dans sa vie capable de parler aux fleurs, de dire quelque chose comme ça, quelque chose qui n'ait de sens que dans l'instant, qui n'ait de beauté que dans son imperfection.

Elle revient à la fenêtre, elle respire l'air du crépuscule et, quelques secondes après, le téléphone se met à sonner. Il y a des gens qui croient que le corps perçoit bien des choses avant qu'elles ne se produisent mais à ce moment-là son corps ne l'a prévenue de rien, ni frisson, ni sueur, ni cœur qui s'emballe, rien, et pourtant ce combiné sonne rarement. Elle fait trois pas pour décrocher ce téléphone qui se trouve au bout de la même table où sont posées les fleurs.

Doucement, gentiment.

Allô ?

Sa voix est ouverte, légère, elle est un prolongement du ciel chatoyant et du cœur bleu des fleurs. Il y a un silence au cours duquel il faut retenir et serrer contre son cœur sa figure fragile, paisible, et qui prend si peu de place dans le monde. Cette figure-là refait trois pas pour revenir à la fenêtre et soudain, à l'autre bout de la nuit, comme à l'autre bout d'elle-même, une voix :

Paloma ?

Dehors la nuit s'est abattue avec le sifflement d'une lame aiguisée, exactement comme avant dans son enfance, dans cette maison qui lui avait toujours fait peur, avec ce jardin horrible où il y avait un creux. Son frère et elle jouaient autour de ce creux-là mais ils jouaient toujours avec la peur au ventre, la peur de basculer tête la première. Et si ce creux était fait de terre mouvante ? Et si ce creux était une bouche ? Et si ce creux grandissait pendant la nuit ? Toutes ces questions qui laissaient leur mère insensible parce qu'elle était comme ça, elle disait une chose une fois et après il ne fallait plus l'embêter. *C'est juste la terre qui s'est affaissée, c'est tout.* De l'autre côté de la maison, il y avait le garage et l'entreprise de pièces détachées et ça sentait le pneu, l'essence, le métal, la sueur. Et sa mère, si belle au milieu de toute cette crasse.

Sa bouche se remplit d'une drôle de salive liquoreuse et un peu amère. C'est sa mère, cette femme magnifique et froide et inflexible, au téléphone. Peut-être a-t-elle cru que Paloma n'avait pas reconnu sa voix rauque puisqu'elle précise :

C'est moi, Phénix.

Paloma tente de retrouver son calme, elle respire très fort ce que le soir a à lui offrir et c'est humide, c'est piquant.

Phénix ne lui demande pas de ses nouvelles, elle ne fait pas semblant et c'est presque un soulagement en réalité pour Paloma. Ainsi, sa mère n'a pas changé, c'est toujours la femme qui n'aime pas les détours, les faux-semblants, les bavardages, les silences où l'on écoute la pluie tomber et ce soir-là, Paloma lui en est un peu reconnaissante. Paloma écoute.

Phénix lui dit que Loup est en garde à vue, qu'il sera très certainement placé en mandat de dépôt à la maison d'arrêt de C. et qu'il ne veut voir qu'elle.

Qu'est-ce que cette voix charrie, quand elle dit *C'est toi qu'il veut voir, seulement toi,* Paloma aurait tellement aimé le savoir mais sa mère ne laisse rien passer, pas une émotion, pas un mot d'avant, un mot de colère ou un mot de crainte, n'importe quoi qui laisserait entendre ce qui travaille son cœur. Phénix lui donne un numéro à appeler dès que possible et l'adresse de la maison d'arrêt. Elle répète l'adresse et le numéro de téléphone et elle ajoute qu'il y aura des papiers à présenter. Elle lui laisse le temps d'aller chercher de quoi noter et Paloma pose le combiné face aux fleurs avec délicatesse. Tout est calme, les mots sont dits avec précaution, rondeur. Elle dit aussi, avant de raccrocher, *Il a pris la voiture pour venir te voir il n'a pas de permis,* et peut-être à ce moment-là les mots sont-ils un peu moins ronds, moins lisses.

Paloma raccroche et c'est comme une ancienne maladie qui revient, plus forte, plus tenace, qui recouvre tout. Du crépuscule, du chatoyant, du beau bleu, il ne reste rien.

Elle se tient dans ce soir comme au bord d'un précipice,

elle ne sait pas comment faire, y aller tête la première, les yeux ouverts, ou se laisser glisser doucement.

Paloma ferme la fenêtre et elle pense à son grand-père qui l'appelait fillette avec tellement de douceur que ça lui faisait l'effet d'une main frottée dans le dos. Elle appuie sa tête contre la vitre et se dit à elle-même : fillette, fillette.

Des années auparavant, peut-être le début

Avant Phénix, Paloma et Loup, il y avait Éliette et c'est avec elle que tout a commencé. Commencé ? Non, plutôt déraillé, divergé alors que jusqu'à maintenant la vie était comme elle est si souvent, ni extraordinaire ni triste, de ces vies travailleuses, sans grande intelligence ni bêtise, de ces vies à chercher le mieux, le meilleur mais pas trop quand même, on ne voudrait pas attirer le mauvais œil.

Souris, Éliette, lui disent tout le temps ses parents et aussi *Viens dire bonjour, Éliette* et quand il y a un dîner à la maison, *Chante-nous* À la claire fontaine, *Éliette*.

Éliette voudrait se souvenir d'une époque où ils étaient comme tous ces parents qui ont toujours l'air un peu absents, qui sont toujours pressés, qui regardent ailleurs pendant que leurs enfants jouent dehors sous la pluie. Mais cette époque-là ne semble exister nulle part, ni dans ses souvenirs, ni sur les photos aux murs, ni dans les histoires que ses parents lui racontent. C'est une drôle d'impression qui la traverse parfois. Elle se sent quitter son corps, flotter au-dessus d'elle-même, elle voit précisément le haut de son crâne. Le trait qui partage ses cheveux dessine un angle abrupt sur le sommet de sa tête comme le coin d'un triangle pour ensuite redescendre en ligne bien droite jusqu'à sa nuque. Elle aime regarder cet angle et ça la rend joyeuse : voilà quelque chose qui n'est pas droit, qui n'est pas parfait, qui n'obéit pas, tout ce qu'elle doit être (droite, parfaite, obéissante). Éliette est une enfant encore, dans son esprit les pensées sont éparpillées çà et là, elle ne comprend pas tout ce qui lui arrive, elle sait juste qu'elle voudrait continuer à flotter, légère et joyeuse.

Souvent ça se passe comme ça.

Elle est habillée de robes ajustées qui l'empêchent de respirer correctement. Elle est maquillée : un trait noir qui borde les paupières, les joues rosies, les cils recourbés, les lèvres peintes d'un rouge vif. Elle est coiffée longuement, crêpée, bouclée, lissée, laquée. Quelquefois, sa mère ajoute sur sa joue droite un faux grain de beauté. Quand elle entre dans le salon, il y a d'abord les compliments sur sa tenue, ses cheveux, ses manières. Viennent ensuite les encouragements. *Tu es encore plus jolie quand tu chantes* et il ne faut pas croire que le refrain suffirait. Non, Éliette doit chanter la comptine entière. Quand elle se lance enfin, certains yeux se ferment, d'autres s'écarquillent, les corps se tendent vers elle, les bouches s'arrondissent puis s'étirent. C'est un peu de la magie : ils ont l'impression d'être touchés dans ce qu'ils ont de plus nu, de plus pur, de plus vrai, ils se sentent vulnérables et reconnaissants à la fois. Ils réalisent combien cette petite fille est exceptionnelle, avec sa voix, son visage, sa présence magnétique, et ils pressentent que quelque chose d'incroyable naît devant leurs yeux, un destin, un tracé lumineux. Ils s'imaginent déjà, plus tard, raconter qu'ils étaient là, au tout début, dans un salon, dans un petit atelier de couture, dans une petite maison pareille aux autres, au bout de l'allée des Pommiers.

Parfois les femmes se disent qu'elle est peut-être un peu trop apprêtée – cette bouche si rouge, ces yeux de biche prolongés par l'eye-liner, cette pose en biais, les chaussures à talons, les mains sur les hanches – mais cette pensée s'évanouit vite, recouverte par celle, rassurante et légendaire, que les petites filles aiment se faire belles. Parfois, les hommes la regardent d'une drôle de manière et il ne faut pas croire que cela glisse sur la tenue d'Éliette et sur son visage fardé, non, ces regards-là l'atteignent, la salissent. Ces regards-là disent des choses qu'elle ne connaît pas encore mais dont elle pressent la violence et l'étrangeté. Quand, à la fin, ils applaudissent et viennent l'embrasser sur la joue gauche qu'elle a appris à tendre d'une certaine manière et avec un certain sourire, comment peuvent-ils deviner un instant la boule dans le ventre d'Éliette quand elle est devant eux, cette chose qui gonfle jusqu'à lui donner l'impression d'étouffer, qu'elle sent battre comme le cœur du lapin effrayé qu'elle avait tenu dans ses mains une fois. Ils ne peuvent imaginer que le soir, dans son lit, elle dort sur le ventre en espérant l'aplatir, cette boule. Ils ne pourraient croire qu'il lui arrive d'affamer cette chose ou d'avaler des choses dégoûtantes (une peau de banane noire dans la poubelle, une cuillère de terre, quelques gouttes d'encre) afin de vomir, choses dégoûtantes et boule.

Ça se passe dans le salon peint en jaune ou dans l'atelier aménagé dans la petite chambre du fond où il y a les deux Singer, le mannequin de couture, le grand miroir et le parfum de jasmin que sa mère vaporise dans tous les coins. Sa mère dit que ça fait penser à la Méditerranée où ils étaient allés bien avant qu'Éliette naisse et elle a tellement aimé ça, elle, les palmiers, les bords de mer calmes, les plages de galets et l'eau qui clapote.

Son père ne dit rien, il écoute en souriant gentiment quand elle se met à parler du Sud et des citrons mais lui ne quitterait, pour rien au monde, les plaines et la campagne, le plateau et l'usine, les plages immenses et les grandes marées.

Ses parents ne se disputent pas, c'est leur truc à eux, jamais un mot plus haut que l'autre, à chacun son tour de parole, son jour de regret, son retour de chagrin. Leur façon de s'aimer et d'être ensemble est tiède, confortable, sans surprise.

Pourtant, dès qu'il s'agit d'Éliette, ils s'animent soudain, tels des papillons de nuit attirés par la lumière, agités de sentiments qu'ils s'efforcent de contenir à grand-peine, fierté, joie, peur, admiration, espoir, étonnement. Il ne faut pas leur en vouloir. Leur fille est belle, leur fille est talentueuse. Ils ne sont pas prêts, ils ne savent pas comment faire devant tous ces regards d'envie, tous ces compliments, ce regain de popularité auprès de leurs amis, de leurs collègues.

Alors, elle se met à dire des choses comme ça, sa mère :

Tu as beaucoup de chance tu es née comme ça c'est un cadeau du ciel souris Éliette c'est un don ne le gâche pas prends soin de toi tiens-toi droite recoiffe-toi croise les jambes souris Éliette ne cours pas ne grimpe pas aux arbres ne mange pas de bonbons dis bonjour Éliette reste bien sage Éliette quand je t'appelle à l'atelier tu ne voudrais pas me faire rater des commandes cette dame est importante tu sais elle travaille pour le grand magasin en ville rappelle-toi comment c'était beau là-bas elle veut faire des photos de toi et tu vas mettre la robe à smocks rentre le ventre ne parle pas tu vas gâcher ton maquillage redresse-toi pourquoi tu pleures tu n'es pas belle quand tu pleures fais attention si le vent tourne tu risques de rester comme ça la bouche de travers quelle vilaine grimace tut tut tut.

Alors, il se met à dire des choses comme ça, son père :

Viens ici Éliette le directeur t'a choisie pour le calendrier de fin d'année tu as beaucoup de chance Éliette il y avait beaucoup d'enfants qui auraient aimé être à ta place il ne faut surtout pas oublier de sourire mais sois gentille avec tout le monde Éliette il ne faut pas éveiller la jalousie tu es si jolie ma petite Éliette chérie tu diras bien bonjour monsieur bonjour madame quand tu seras dans les grands bureaux quelle chance d'aller dans les grands bureaux viens ici Éliette le directeur m'a demandé si tu pouvais chanter une ou deux chansons pour la fête de fin d'année n'est-ce pas une grande chance que nous avons là je vais t'accompagner à l'accordéon nous allons choisir ensemble les deux chansons et maman te fera une belle robe et tout le monde ne verra que toi et qui sait c'est peut-être le début d'une grande carrière pour nous deux ha ha ha.

Le temps passe et les mots qu'ils lui disent s'accumulent sur elle comme de la peau morte. Le temps passe et jamais ils ne veulent lui faire du mal, oh non, c'est tout le contraire. Ils veulent qu'elle ait toutes ses chances, qu'elle profite de chaque occasion, de chaque opportunité, ils la veillent, ils la protègent, ils la préservent et eux aussi imaginent que ce n'est que le début de quelque chose d'exceptionnel, ils le sentent, ils en rêvent.

À la bibliothèque où son père l'emmène chaque samedi matin, Éliette lit *Les plus grandes femmes de notre histoire* et plus elle avance dans cette lecture, plus elle se sent diminuée. Elle sait maintenant qu'elle n'a rien fait d'exceptionnel. Possède-t-elle un don pour les langues, un talent pour la peinture, décode-t-elle les opérations mathématiques, entend-elle plusieurs langues, lit-elle dans les pensées, dans l'avenir, dans le marc de café, démontre-t-elle un courage qui la singularise ? Non, elle n'a rien de tout cela et elle se sent terriblement honteuse.

Le temps passe. Éliette chante, elle pose, elle obéit et les gens, à la fin, applaudissent.

Le temps passe, les robes sont toujours aussi ajustées, le rouge à lèvres toujours aussi vif et les regards sur elle se font plus insistants, plus durs mais jamais ses parents ne relèvent quoi que ce soit.

Dans sa chambre, entre son lit et son armoire, Éliette

s'est fait une cabane avec un grand drap. Son père l'a aidée à tendre et à plier le tissu de manière à faire un rabat qui lui sert de porte. Parfois, à la nuit tombée, sa mère et son père se tiennent sur le seuil de sa chambre, l'écoutant murmurer dans sa cabane, n'osant la déranger. Ils la décalquent – figure parfaite habillée d'une robe à smocks, pinces à nœud dans les cheveux, visage de porcelaine – sur les images de conte de fées qui subsistent encore dans leurs têtes. Ils imaginent leur fille, princesse parmi les princesses, poupée parmi les poupées, déployant sa beauté extraordinaire le long des routes bordées de fleurs, nageant dans des lacs clairs aux reflets d'or, chevauchant, oh oui certainement, une licorne blanche. Ils sont persuadés qu'ainsi joue Éliette dans sa cabane, Éliette dans son jardin secret, Éliette avec sa torche qu'elle allume et éteint, Éliette sans secrets, sans chagrins, sans véritables pensées. D'ailleurs, pourquoi devrait-elle penser, Éliette ? N'a-t-elle pas une chance extraordinaire d'être née ainsi ? N'a-t-elle pas tout ce qu'elle pourrait désirer ?

Tout se passe si bien dans ce quartier où les petits pavillons ont remplacé les maisons d'ouvriers et dans les jardins, il y a des arbres fruitiers, des camélias, des hortensias, des magnolias et des roses. Tout se passe aussi bien allée des Pommiers que rue des Cerises et qu'un peu plus loin, impasse des Pêchers. Les enfants grandissent et jouent ensemble, ils vont à l'école à pied, certains parents achètent des voitures, d'autres partent en vacances. Il y a tant à attendre de la vie, encore.

Éliette a onze ans, elle porte une longue robe bleue scintillante aux manches bouffantes.

Sa mère dit :

Je me suis surpassée cette année regarde cette doublure en satin et ce jupon en organza admire ce tombé Éliette c'est extrêmement difficile à manier l'organza tu sais tu écoutes Éliette à quoi tu penses encore il faut te concentrer ma fille.

Éliette se tait, elle fixe les ciseaux à côté de la robe et se demande ce que ferait sa mère si là, maintenant, elle découpait la robe. Elle a de ces idées en ce moment, Éliette, étranges et excitantes à la fois, et ces idées arrivent quand elle est dans sa cabane. Sa mère tente souvent de lui faire enlever ce drap tendu en lui disant que c'est laid, qu'elle a passé l'âge mais elle refuse. Ici, elle se recroqueville, ferme les yeux et elle imagine décrocher une à une toutes les photos d'elle dans la maison et les jeter dans le canal. Repeindre sa chambre en noir. Descendre en ville, marcher, marcher et ne plus jamais rentrer. Mettre le feu à ses vêtements, à l'atelier de sa mère, briser en mille morceaux l'accordéon de son père. Ce qui l'étonne c'est qu'elle ne se sent pas coupable quand elle émerge. Au contraire, elle voudrait s'accrocher à cette colère qui semble la porter dans les rêveries, oh si seulement vous pouviez la voir brûler, casser, hurler ! Mais quand elle rampe hors de sa cabane, elle redevient celle qui chante, qui pose, qui obéit, avec la boule au ventre, le visage fardé, la taille serrée, les seins pigeonnants déjà et la honte dans le cœur.

C'est la quatrième année qu'elle chante sur scène, pour

le spectacle de fin d'année de l'usine, et ses parents se demandent en souriant, qu'est-ce qu'Éliette nous réserve cette année ? Le lendemain de sa première fois sur scène, elle avait attrapé la varicelle. Le soir de la deuxième fois, elle avait été opérée pour une appendicite fulgurante. L'année dernière, elle s'était réveillée le jour du spectacle avec des plaques rouges sur le visage et il avait fallu lui faire une piqûre.

Son père dit :

Il y aura un journaliste de la presse locale ce soir c'est le directeur qui me l'a confié qu'est-ce que je suis fier de toi ma jolie Éliette chérie.

Aujourd'hui, quelle que soit cette chose, elle arrive par vagues. Éliette en a peur, c'est comme le début d'un malaise mais elle résiste car elle sait que ce n'est pas ça. Ce sont toutes ses pensées, sa honte et sa colère qui forment cette onde. Elle ferme les poings, elle bloque sa respiration, la vague repart. Sa mère, qui pense qu'elle est en hypoglycémie à cause du stress, la nourrit de bananes, de carrés de chocolat et de Coca-Cola. Sa mère qui la trouve pâlotte la maquille plus que d'habitude et la parfume un peu trop. Le visage d'Éliette sent alors le jasmin rance.

Éliette a onze ans et elle attend en coulisses. D'autres enfants chantent et dansent et vont et viennent et rient et pleurent mais elle n'est pas de ceux-là, elle a un coin à elle parce que, comme l'a dit sa mère, elle, c'est le clou du spectacle. Sa mère est allée chercher de la laque dans la voiture, elle a dit *Ne bouge pas, Éliette, je reviens tout de suite.*

Il y a cet homme qui vient lui dire qu'il lui reste

dix minutes. Elle l'a déjà vu, il est déjà venu à la maison et il travaille aussi à l'usine, c'est un ami de son père, il s'appelle Jean ou Gérard, elle ne sait plus. Il a l'habitude de se tenir dans le salon, debout près de l'horloge, et il ne la quitte pas des yeux. Il applaudit d'une drôle de manière : lentement, gardant les mains jointes quelques secondes, comme s'il battait la mesure. Jean ou Gérard lui demande, tout en s'approchant d'elle *Où est ta mère ?*

Éliette ne répond pas, elle est occupée à serrer les poings, à respirer par le ventre, à tenir à bonne distance cette chose qui menace de la submerger. Jean ou Gérard est devant elle. Il chuchote *Tu es si jolie, Éliette*. Il lui prend le visage dans les mains et elle sursaute. *Chut, Éliette*, dit-il, et Éliette avec sa boule au ventre et sa robe d'organza est muette. Les doigts qui se posent sur son visage sont épais et rêches, sa sueur métallique est la même qui couvre tous ceux qui travaillent à l'usine, il sent le tabac et la menthe. Avant ce jour, Éliette ne s'était pas rendu compte que sa tête était si petite qu'elle pouvait être écrasée dans les mains de Jean ou Gérard. Subitement, son visage fonce sur elle, ses lèvres se collent sur les siennes, il projette sa langue à l'intérieur de sa bouche, c'est épais, fort et râpeux, ça vient fouiller l'intérieur de ses joues, frotter ses dents, effleurer son palais et pendant tout ce temps, de ses mains, il maintient immobile le visage d'Éliette et c'est si facile pour lui, c'est quoi, rien qu'un baiser volé, un truc un peu interdit qu'il va se dépêcher d'oublier, c'est quoi hein, pour lui, rien du tout.

Pour Éliette, c'est le début de la fin.

Sa mère revient en courant et, en voyant Éliette, elle

s'exclame *Mais Éliette, qu'est-ce que tu as fait à ton visage ? Ton rouge à lèvres ! Ton fond de teint ! Tu as voulu te débarbouiller ou quoi ?*

Éliette regarde sa mère qui s'affaire autour d'elle, qui lui nettoie le visage avec un coton imbibé d'eau de rose, qui lui applique fond de teint, poudre, fard à joues, rouge à lèvres, faux grain de beauté, et elle ne peut rien dire tant il y a des choses qui montent en elle, c'est une grande nausée ou une grande vague, elle ne sait pas. Sa mère s'exclame soudain *Voilà, c'est réparé, tu es toute neuve à présent !*

Éliette monte sur scène vêtue de sa robe qui attrape la lumière et quand elle se place devant le micro, elle se sent quitter son corps, flotter au-dessus d'elle-même et le voilà cet angle qu'elle chérit tant. Ce soir, devant tous ces gens et ce journaliste de la presse locale qui se tient à ses pieds, avec son appareil photo, c'est la dernière. Curieusement, elle a un peu de chagrin pour sa mère derrière les rideaux, pour son père qui ajuste le soufflet de son accordéon. Ce n'est pas entièrement de leur faute. Elle perçoit le souffle retenu de la salle, c'est comme le souffle de cette chose dont elle ne connaît pas le nom et à qui, cette fois, elle ne cherche pas à échapper. Elle ouvre la bouche et tandis que la houle l'assomme, la soulève, la fait tournoyer et l'emmène vers le fond, elle ne chante pas *On dirait le Sud* comme c'était prévu mais elle crie comme jamais elle n'a crié.

Ils sont tous si surpris que pendant un instant personne ne bouge. Ce cri dure, strident et long, certains le qualifieraient de hurlement, d'autres le compareraient à une sirène. Les gens se bouchent les oreilles, quelques enfants ont peur et d'autres rient. Son père et sa mère restent tétanisés. Ici, dans cet endroit où l'a emmenée cette chose – est-ce un rêve éveillé, est-ce quelque part dans sa mémoire, est-ce dans son inconscient elle ne sait pas – Éliette est seule. Elle se déshabille, oripeaux après oripeaux. Elle arrache son masque. Elle frotte sa peau nue pour se débarrasser des mots morts qui l'alourdissent. Elle vomit ce goût âcre dans sa bouche, cette odeur de sueur et de tabac, ses pensées, sa honte, la boule dans son ventre. Elle coupe ses cheveux, elle crache sur son prénom et dans cet endroit aux bords flous, elle donne raison à sa mère : oui, elle est toute neuve à présent.

C'est ainsi que prend fin l'enfance de celle qui s'appelait Éliette et il n'y a pas de quoi être triste même si cela se passe comme ça, devant tant de gens qui toujours, toujours, parleront de ce jour-là avec un mélange d'horreur et de délectation. Il ne faut rien regretter parce qu'il faut bien que ça se termine, ce faux-semblant qu'est l'enfance, il faut bien que les masques soient retirés, les imposteurs démasqués, les abcès crevés, il faut bien que cesse toute velléité du mieux, du magnifique, du meilleur, il faut bien en finir avec les belles paroles, les bons sentiments, les rêves doucereux, il faut bien, un jour, arracher à coups de dents sa place au monde.

Phénix de ses cendres

Clac. Clac. Clac. C'est Georges Éviard, le père de celle qui s'appelait avant Éliette, qui ferme la porte du garage qui depuis toujours glisse de ses gonds et il faut la pousser trois fois pour qu'enfin elle tienne. C'est le soir, un peu avant 19 heures, allée des Pommiers et la femme de Georges se regarde dans le miroir de l'entrée et d'un œil averti (elle est couturière, il ne faut pas l'oublier), elle se jauge et n'hésite pas, elle enlève le foulard en soie. Elle pense à cette actrice, Ava Gardner ou Audrey Hepburn, elle ne sait plus, une superbe femme qui avait donné ses conseils de mode dans un magazine féminin, et elle disait qu'avant de sortir elle se regardait dans le miroir et enlevait un accessoire. On en fait toujours trop, disait Ava ou Audrey. La femme de Georges a un moment d'abattement, c'est comme si tout l'intérieur de sa poitrine s'affaissait d'un coup et elle s'appuie contre le meuble, baisse la tête. Ava, voilà un prénom qui aurait mieux convenu à Éliette, pense-t-elle, voilà un prénom qu'on ne peut pas rejeter. La mère de celle qui s'appelait avant Éliette s'avance dans le couloir, s'arrête devant la porte repeinte en noir. Elle inspire profondément mais c'est bon, ça y est, elle a digéré ça, porte en noir, murs noirs, maquillage noir, vêtements noirs, et si ça ne suffisait pas pour qu'elle comprenne qu'elle a échoué, il y a tous les mots que celle qui s'appelait avant Éliette leur balance régulièrement et ceux-là aussi elle les a bien entendus, elle les entend encore, elle les sent toujours, sur sa peau, sur son cœur, dans sa tête, dans son sommeil, dans ses rêves, là, ici, maintenant, ils sont des petits êtres grouillants aux griffes acérées.

Derrière la porte, le plancher craque et quoi qu'on pense d'elle, de ses manières, de ses manies, elle est à ce moment-là une mère qui reconnaît le bruit des pas de son enfant et ce sont les mêmes que cette dernière faisait avant, quand elle allait chercher du chocolat le soir dans le placard de la cuisine ou quand elle venait les voir dans leur lit parce qu'elle avait mal au ventre. Pas de chat. Celle qui se faisait appeler Éliette s'approche de la porte et elle est là, de l'autre côté.

Il faudrait qu'en ce soir de fête, deux jours seulement avant Noël, un miracle arrive et que par un mot, un geste, une pensée, cette fichue porte noire s'ouvre. Il faudrait que la mère dise quelque chose n'est-ce pas, qu'elle profite de ce silence, de ce vide, qu'elle profite qu'elles soient à nouveau si proches, à portée de main l'une de l'autre, ici, maintenant.

La mère ouvre la bouche mais rien ne sort. Elle la referme,

déglutit et la rouvre à nouveau mais toujours rien parce que rien n'est assez bon désormais pour celle qui s'appelait avant Éliette et qui chantait *À la claire fontaine* et dont le visage parfois faisait penser à ces marbres dans les musées, pas un mot ne trouve grâce, pas un mot ne fait baume, pas un mot n'est doux. Non, rien ne sort de la bouche de cette mère et dehors, soudain, Georges klaxonne. La mère ferme la bouche, presse ses lèvres pour les repulper, effleure sans bruit la porte et s'en va, un léger engourdissement sur le bout des doigts.

Clac. Clac. Clac. Ce sont comme des coups au théâtre et celle qui s'appelait avant Éliette se redresse sur son lit. Bientôt elle devra entrer en scène et ce qui l'attend n'est pas une mince affaire mais elle l'a écrite elle-même cette pièce, elle la connaît sur le bout des lèvres, sur le bout des doigts, elle n'a rien laissé au hasard, clac clac clac comment ils disaient avant ? Oyez oyez !

La jeune fille pose un pied par terre mais tiens, sa mère s'approche de sa porte mais rien ne se passe, la poignée ne s'abaisse pas, elle ne toque pas, elle ne dit rien, elle ne fait aucun bruit. Qu'y a-t-il dans ce silence ? Non, plutôt, qu'est-ce qui pourrait remplacer ce silence entre elles, qu'est-ce qui pourrait se faufiler là, ici, maintenant, et qui ferait annuler ce qu'elle s'apprête à faire ? Parfois, le psy lui demande *De quoi avez-vous envie, Éliette ?* Il utilise encore son prénom mais elle ne lui en veut pas parce qu'il le dit sans émotion. Parfois, le psy lui demande *Qu'est-ce qu'il vous faut, Éliette ?* et elle pense à une fenêtre qui ouvrirait sur les toits et un envol de pigeons, elle pense à la mer et à elle-même dans la mer et parfois elle dit ces choses-là à cet homme et il semble un peu triste et elle sait qu'il se retient de s'approcher d'elle, de poser une main sur son épaule et il lui plaît encore plus, alors.

De quoi ce silence pourrait-il être fait, elle ne le sait pas parce qu'elle ne veut plus entendre de mots, les mêmes, ces pardons, ces je ne savais pas, ces nous pensions faire de notre mieux, ces nous n'avons tué personne tout de même, ces tu avais un tel talent, ces tu étais si belle, ces tu avais un grand avenir, ces si seulement on avait su que tu souffrais. Des mensonges ! Des putains de mensonges !

La jeune fille a désormais seize ans et elle n'arrive jamais à se laver aussi proprement qu'elle le voudrait. Il lui semble que c'était hier qu'elle était déguisée en lolita et qu'elle chantait pour des adultes. Il lui semble qu'il reste sur son visage, encore, un peu de fard à joues, un soupçon de rouge à lèvres. Il lui semble que sa peau ne sera jamais totalement nettoyée de tous ces regards et de tous ces mots et que jamais elle ne pourra oublier la façon dont sa tête tenait dans la main de ce Jean ou Gérard. Comment faire pour naître à nouveau ?

Sa mère est toujours là et la jeune fille se lève. Elle s'approche de la porte à pas feutrés, elle se tient un peu en biais, l'oreille tendue et peut-être qu'elle entend sa mère respirer et peut-être, après tout, qu'elle entend tout l'effort que fait cette mère pour ne pas toquer, pour ne pas parler, pour ne rien faire. Celle qui s'appelait avant Éliette faiblit un peu et avec ce petit relâchement dans son ventre, comme une douce fatigue à laquelle on se soumet, lui vient cette pensée : si ses parents restaient là ce soir, s'ils décidaient de ne pas se montrer comme chaque 23 décembre au spectacle de fin d'année de l'usine, comme chaque année, couple uni malgré le scandale – quel scandale demanderait forcément un nouveau venu et on lui raconterait l'histoire de la petite Éliette si belle qui chantait si bien et qui a perdu la tête, pété les plombs, disjoncté, déraillé, pauvre petite fille hospitalisée plusieurs mois, qui a fait plusieurs séjours en psychiatrie pour sa violence, oh oui c'était violent, elle criait dans le micro, elle s'est laissée tomber comme une bûche, elle se débattait comme une folle, elle avait vomi partout, que c'est triste de dire ces choses-là d'une si jolie enfant, sa mère fait toujours les costumes pour les petits et son père, oui c'est bien lui là sur la scène, regarde, il joue toujours de l'accordéon, n'est-ce pas malheureux ces choses-là, n'est-ce pas courageux qu'ils viennent chaque année –, s'ils arrêtaient cette mascarade, alors, peut-être que la pièce de ce soir serait annulée ?

Qui dit que les choses sont écrites d'avance, qui dit que nous sommes des pantins et qui peut savoir comment la vie va se dérouler ?

Une mère et sa fille, oreilles tendues, en silence, de chaque côté d'une porte noire. Il y a tant de possibles, encore.

Mais soudain dehors, un klaxon et la fille, de rage, de dépit et il faut l'avouer de tristesse un peu, frappe le mur de son poing.

Quelques minutes après le départ de Georges Éviard et de sa femme, un jeune garçon du nom de Tom avance le long des trottoirs, rapidement, le corps collé le plus possible aux haies, aux murs. Tout le monde ou presque est à la fête et ses parents pensent qu'il est au lit, couvant une grippe ou une gastro qu'importe il a bien joué le jeu. Je suis un ninja, pense-t-il en rigolant, tandis qu'il se rapproche sans bruit et à grande vitesse de la maison d'Éliette malgré le poids de son sac à dos. Il ne doit pas parler de ninja à Éliette, il ne doit pas non plus l'appeler Éliette. Ce soir, Tom est un homme, il n'a plus seize ans. La preuve : ce jerrican d'essence dans son sac à dos.

Éliette le fait entrer par la porte de l'atelier de couture de sa mère et ses jambes sont tout à coup flageolantes. Il dérape, tend le bras et c'est la main d'Éliette qu'il agrippe. Elle le relève tout entier, son corps, son sac à dos, son jerrican d'essence, ses délires de ninja dans la nuit, ses fantasmes de premier baiser avec cette fille magnifique et effrayante, sa langue à elle qui s'entortillerait avec la sienne et ses cheveux soyeux forcément soyeux qu'il caresserait jusqu'à n'en plus finir.

Bonsoir.

Dit-il lentement comme dans les films en noir et blanc.

Tu as l'essence ?

Oui.

Viens.

Viens à moi, viens dans mes bras que je te prenne tout entier, viens dans ma chambre, viens que je te montre, viens que je te raconte, viens que je t'embrasse doucement puis pas doucement du tout, viens avec moi.

Elle ne dit pas cela quand elle le précède dans la maison, Tom le sait mais il ne peut s'en empêcher, c'est comme s'il était déjà de l'autre côté de la vie, qu'il avait définitivement quitté l'enfance, et chaque pas derrière Éliette le fait entrer un peu plus dans ce nouveau monde où existe ce qui, jusqu'à présent, n'était que dans son imagination, les corps, les langues, le sexe qui pulse, le ventre qui bouillonne, le cœur qui gonfle de quelque chose de plus grand que lui, que cette maison, que ce quartier propret et plus grand que tous les rêves qui s'élèvent à ce moment-là de la ville.

Dans la cuisine, elle demande à voir l'essence et elle tient le jerrican devant ses yeux en le secouant un peu comme pour en vérifier le niveau puis elle le pose par terre. Tom ne dit rien, il la regarde dans cette lumière crue un peu jaune et jamais peut-être il ne l'a vue aussi belle. Elle a attaché ses cheveux rouges – avant ils étaient bleu indigo et avant encore mauves – et sur son visage il y a autre chose ce soir et ce quelque chose donne envie à Tom de l'emmener marcher dans le soir sous la lune tremblante jusqu'au canal et peut-être de rester devant l'eau qui coule paisiblement jusqu'à n'en plus finir.

Elle parle.

Alors, tu m'embrasses ?

Et ce qu'il avait vu, juste là sous le pli de la lèvre, dans le frémissement du nez, disparaît et à nouveau sa beauté revient, éclatante et dure comme une pierre précieuse.

Elle dit.

C'est bien ça que tu es venu chercher, non ? C'est, comme qui dirait, le prix de l'essence ?

Tom ne fait rien, il tend la main, il voudrait qu'elle la lui prenne, tout simplement, qu'ils oublient cette histoire de baiser parce qu'il sent qu'elle se noie. Qu'elle est en train de déraper et il voudrait la soutenir, lui maintenir la tête hors de l'eau.

Celle qui s'appelait avant Éliette regarde Tom et ça lui fait comme tout à l'heure avec sa mère, comme un relâchement dans son ventre, elle regarde le jerrican, elle regarde sa main tendue. Le silence est si rond, si parfait ce soir, et pour la deuxième fois de la soirée, il y a un autre possible.

Mais alors Tom prononce le seul nom qu'il ne doit pas prononcer et ça fait comme un détonateur, un allume-mèche, un catalyseur.

Éliette.

Le reste, il faut le dire doucement ou l'oublier parce qu'il y a des choses qui portent malheur si on les répète.

Le reste, c'est Tom qui s'enfuit, une main sur la joue, là où celle qui s'appelait Éliette l'a giflé avec une telle force que sa tête s'est retournée comme celles des boxeurs sur le ring.

Le reste, c'est le feu qui prend d'abord dans l'atelier de couture puis dans le salon où, avant, la petite fille qui s'appelait Éliette chantait *À la claire fontaine*. Aux murs, les cadres avec ses photos brûlent comme du petit bois.

Le reste c'est un voisin, au lit avec une vraie gastro-entérite, qui appelle les pompiers.

Le reste, c'est dans la salle des fêtes que Georges et sa femme l'apprennent. Leur maison a pris feu, leur fille est à l'hôpital. *Comment va-t-elle ?* pleurent Georges et sa femme aux urgences, *comment va notre petite Éliette chérie ?*

Éliette ? demande l'interne. *Elle nous a dit qu'elle s'appelait Phénix et je vous rassure, elle n'a absolument rien. C'est un vrai miracle.*

Le grand-père, quand il est trop tard déjà

Il faut imaginer Georges Éviard, cet homme debout dans le courant d'air, à côté du marchand de journaux, et qui à chaque fois que les portes automatiques du hall de la gare se referment, croise un instant son reflet avec indifférence. Il porte un pantalon de velours marron, une chemise bleue, une polaire grise bien épaisse, une casquette noire. Il pourrait rester là des heures et personne ne le remarquerait, il le sait. Il a toujours été comme ça, presque transparent, et jamais il ne s'en est plaint. D'ailleurs, cette casquette cache sa chevelure épaisse qui, depuis qu'elle est devenue entièrement blanche, attire les regards. Tantôt il vérifie l'heure, tantôt il scrute l'écran des arrivées, parfois il sort un petit carnet à spirale, le consulte attentivement, fait bouger ses lèvres comme s'il était en train d'apprendre quelque chose par cœur, et le remet dans sa poche avant droite. S'il lui arrive de se déplacer de quelques mètres pour vérifier le grand tableau d'affichage, il revient vite là où il était, exactement au même endroit. À côté du marchand de journaux.

C'est ce qui a été prévu ce jour-là, il l'avait noté consciencieusement sur son petit carnet dès qu'il avait raccroché parce que ce n'est jamais la même chose, à croire qu'Éliette en décide au dernier moment. Il la revoit quand elle avait cinq ans et qu'elle avait le droit, le dimanche, pour le déjeuner, de porter une paire de boucles d'oreilles de sa mère et, devant la boîte à bijoux, elle faisait bouger les doigts de sa main droite près de sa joue droite, les lèvres pincées d'excitation, elle en essayait une, puis une autre, puis encore une autre. Dans un accès de pensée magique, Georges imagine que c'est encore pareil. Éliette, au téléphone, toujours avec ce geste de bouger rapidement ses doigts de la main droite près de sa joue droite, est-ce sur le quai, est-ce dans le passage souterrain, est-ce sur le parking, est-ce dans le hall, et elle dirait, papa il y a trop de choix, comme avant elle disait, papa tout est si beau.

Ce serait tellement plus simple si les enfants ne se changeaient pas en monstres.

Georges.

Ce qu'il faut savoir c'est que Georges n'est pas seul. Il a sa femme, du moins la voix de sa femme, dans sa tête et celle-ci, depuis dix ans et trois mois, lui tient compagnie, le conseille, le prévient ou, comme maintenant, le réprimande avec cette intonation familière. *Geo-orges.*

Désolé. Je n'aurais pas dû dire monstres.

Georges Éviard attend sa petite-fille, il est en avance d'une bonne demi-heure mais il ne supporte pas l'idée que sa petite-fille l'attende. Il a trop peur de la manquer, peur qu'elle se perde, ici ou dans la vie que lui fait mener Éliette. Parfois, la nuit, les yeux grands ouverts, son cœur frémit tant il est persuadé qu'à des centaines de kilomètres de là sa petite-fille est également allongée dans le noir, les yeux grands ouverts. Il n'a pas tort.

Dans la banlieue de L., dans une maison qui donne l'impression de s'enfoncer dans la terre, Paloma, sept ans, aime écouter ce que dit la nuit. Le parquet dans le couloir qui mène à sa chambre craque, le réfrigérateur dans la cuisine au bout de ce même couloir ronfle, et dehors il y a le vent qui fait grincer la chaîne sur la grille d'entrée. Plus loin il y a un claquement, comme celui que ferait un tuyau qui heurterait à intervalles réguliers un autre objet métallique. Elle imagine les insectes au repos, les oiseaux têtes recourbées dans leurs plumes, elle pense aux vers, aux cafards, aux papillons, aux souris, aux chevaux dans le pré plus loin. Elle pense au creux dans le jardin, ce creux qui a toujours été là lui a-t-on dit, ce n'est qu'un bout de terre qui s'est affaissé c'est tout, lui a dit sa mère mais ce creux, la nuit, elle l'imagine battre comme un cœur et si elle tend l'oreille, peut-être qu'elle peut l'entendre. Elle pense à tous les sommeils, à toutes les maisons obscures, elle se souvient du lampadaire qui éclaire en un rond parfait et jaune l'angle au bout du chemin. À cette heure, elle a le sentiment que si elle n'écoutait pas ces bruits-là, le monde et toutes les choses qui l'habitent s'écrouleraient de solitude. Elle sait ce que c'est la solitude, Paloma, petite fille qui n'a que sept ans et qui a un peu peur de cette maison comme elle a un peu peur de sa mère et c'est déjà bien assez pour son âge et ça explique peut-être un peu pourquoi elle est comme elle est, fuyante et fugace, prête à se couler dans une tranche d'ombre, derrière une porte, toujours sur la pointe des pieds, souvent le souffle retenu, parfois le corps ramassé, et ça explique peut-être, ou peut-être pas, pourquoi elle croit que la nuit s'adresse à elle.

Elle rêve de se glisser contre le corps de sa mère mais à sept ans, c'est déjà, elle le sait, une pensée farfelue parce que sa mère n'est pas de ces femmes-là, de ces mères-là. Alors, Paloma reste dans son lit, allongée, les yeux grands ouverts.

Georges n'a jamais aimé la ville mais il aime bien les gares. Celle-ci n'est pas trop grande, pas encore en tout cas. Il a l'impression que tout ce qui était à taille humaine, reconnaissable, inoffensif, est aujourd'hui cassé, agrandi, transformé. Les cafés, les cinémas, les magasins, les stations-service, les routes, à croire que tout est fait pour que les hommes se sentent mal à l'aise, tournent en rond et se perdent.

Autour d'une grande plante artificielle en forme de palmier au centre du hall, il y a une assise en bois sur laquelle se sont endormis deux jeunes, la tête posée sur leurs sacs à dos. Dans le bruit des roulettes de valises, le klaxon des trains, les sifflets des contrôleurs, la voix dans le haut-parleur, ils dorment d'un sommeil si profond, si innocent, que Georges a envie de les secouer brutalement et de leur crier dessus. N'ont-ils pas un train à prendre, n'ont-ils pas quelqu'un qui les attend quelque part ? Personne ne devrait dormir comme ça, en public, ils ne savent donc pas que des choses terribles arrivent chaque jour à des gens qui s'assoupissent, qui regardent ailleurs, qui se croient bénis et qui baissent la garde ?

Quand sa femme lui avait annoncé qu'elle était enceinte, Georges avait demandé *Vraiment ?* comme s'il s'était adressé à un enfant qui inventait des histoires. Ils essayaient depuis beaucoup d'années et peut-être Georges avait-il fini par croire que ça n'arriverait pas, peut-être même qu'il s'était fait à cette idée comme on compose avec un défaut, un boitement, un bégaiement. Ce qu'il souhaitait, disait-il, c'est que le bébé soit en bonne santé. En réalité, quand il disait « bonne santé », il pensait « normal », sans handicap, tant il craignait que leurs chromosomes soient à leur image, un peu raplapla. Il rajoutait, dix petits doigts, dix petits orteils, c'est tout ce qu'il me faut. Garçon ou fille, couleur des yeux ou des cheveux, cela lui importait peu. Ils avaient déjà choisi les prénoms : Éliette pour une fille comme la grand-mère de Georges, Jacques pour un garçon comme le grand-père de sa femme. Le dimanche, ils allaient se balader le long du fleuve et sa femme portait une robe ample et fleurie qu'elle avait cousue elle-même, comment elle appelait ça ?

Taille empire.

Oui, une robe taille empire qui glissait sur son ventre rond et bras dessus, bras dessous, ils marchaient et parlaient du travail de Georges à l'usine, parfois des potins que sa femme avait entendus de la bouche d'autres femmes qui venaient pour les essayages, ils parlaient du bébé et de l'avenir. Ce qu'ils disaient n'était ni extraordinaire ni orgueilleux et leurs cœurs étaient sans crainte, en paix.

Georges se demande ce qu'il serait advenu si Éliette n'avait pas été aussi belle. Sa femme avait-elle pressenti quelque chose ce premier jour quand elle lui avait dit, fatiguée, tenant tendrement le bébé endormi tout contre elle, *Je crois qu'il faudrait choisir un autre prénom.* Sa femme avait peut-être deviné que ce prénom-là ne lui irait pas, qu'il était trop désuet, trop étriqué pour elle et que ce bébé, avec ce visage-là, cette vigueur-là, ne vivrait pas une vie d'Éliette. Sa femme avait peut-être su, elle, dès ce premier jour, que ce bébé n'était pas l'enfant « normal » qu'ils attendaient. Depuis qu'elle avait accouché, les infirmières, les sages-femmes et même quelques médecins venaient voir « le plus beau bébé » de l'hôpital. La sage-femme avait dit, *On dirait un ange,* et elle était restée longtemps à admirer le bébé. Mais Georges avait vérifié les doigts et les orteils, il avait admiré le visage parfait couleur de lait entier et il avait répondu, mais non, on fait comme on a dit. Ce fut donc Éliette Éviard.

Parfois, il arrive à faire abstraction de la réalité – Éliette s'appelle encore Éliette, elle ne vit pas dans un taudis à des centaines de kilomètres, elle n'a pas le corps recouvert de tatouages, elle a un mari, elle cajole sa fille, elle rit, elle a un travail qui ne consiste pas à vendre des pièces détachées encrassées d'automobile, elle a des mains comme sa mère, bien hydratées et manucurées, elle n'a pas cette voix éraillée et ces paroles coupantes, elle n'est pas tout le temps en colère, elle aime à nouveau ses parents – et, à ce moment-là, Georges aime à nouveau le prénom de sa fille et il le fait rouler dans sa bouche et imagine qu'il pourrait l'appeler comme ça, d'un bout à l'autre de cette gare où les gens vont et viennent par vagues et ce serait comme appeler une fleur des champs. Il sent alors que la petite fille qu'elle avait été est toute proche de lui et cette petite fille-là, bon Dieu, cette petite fille-là, qu'est-ce qu'elle lui manque.

Il y a quelques années, Georges s'était embarqué dans ce qu'il a appelé une quête de vérité. Il voulait comprendre. Il a acheté un magnétophone pour ne jamais être pris au dépourvu d'un souvenir, il notait sur un cahier tout ce qui avait trait à Éliette. Sûrement, il découvrirait quelque chose (un événement, une parole définitive, un choix, une rencontre) et cette chose-là, vraie et palpable et vérifiable, serait le début d'une explication. Peut-être pensait-il que ce serait aussi simple que de réparer les petits appareils ménagers quand ceux-ci ne fonctionnaient plus ? Georges les installait sur la table, enlevait la coque de protection, vérifiait pièce après pièce, fil après fil, circuit après circuit, jusqu'à trouver ce qui clochait. Ça pouvait prendre des heures selon la nature de la panne mais il était patient. Avec son pinceau à poils durs, il aimait épousseter la poussière dans les recoins et quand tout était propre à nouveau, quand rien ne faisait obstacle, il refermait avec satisfaction l'appareil et le rebranchait. Georges croyait encore, à cette époque, dans les histoires de rédemption et de résilience. Il pensait que la fatalité n'existait pas, que l'adversité pouvait être vaincue et que personne n'était à l'abri d'un miracle. Sa femme ne voulait pas l'aider, elle ne voulait même pas entendre parler de son projet, elle changeait de pièce dès qu'il sortait son magnétophone ou son cahier. Il faut affronter la vérité, lui disait-il, et elle répondait, quelle vérité ?

Mais oui, en effet, quelle vérité ? Il avait été seul à déblatérer dans son magnétophone acheté d'occasion, seul à fouiller sa mémoire mais c'était de lui qu'il était question. Lui, le père, le mari, le petit comptable de l'usine, le joueur d'accordéon dans les javas le samedi. Éliette restait à la marge, elle apparaissait comme une ombre, elle bougeait comme il se souvenait qu'elle bougeait, telle une marionnette, elle avait le visage d'un ange, elle vivait recouverte de compliments, de oh, de ah, on l'appelait la princesse, la plus belle. Mais y avait-il quelque chose à elle, rien qu'à elle, dans ce cahier, sur cette bande ? Est-ce qu'il y avait trace de sa voix ? Est-ce que Georges a raconté ce à quoi elle rêvait, Éliette, la nuit, ou les choses qu'elle désirait quand elle se levait le matin ? Non, il n'y en avait que pour lui, il n'y avait que sa vérité.

L'année dernière, il avait pris la voiture et avait fait les 600 kilomètres d'une traite parce qu'il n'en pouvait plus de ne pas avoir de nouvelles d'Éliette mais de Paloma surtout. Il s'était tenu à la grille, il avait lu cette pancarte « Pièces détachées, ouvert du lundi au samedi » et il avait appelé en vain. *Paloma, Paloma !* Il ne pouvait pas appeler Éliette puisque Éliette ne supportait plus qu'on l'appelle comme cela. Il ne pouvait pas non plus l'appeler par son autre prénom, il ne fallait pas trop lui en demander non plus. Personne n'était venu lui ouvrir, même s'il était persuadé que derrière les fenêtres de cette maison lugubre on le regardait.

Est-ce de sa faute si tout avait déraillé, si Éliette était aujourd'hui comme elle est, si, si et encore si. Sa femme est silencieuse, elle qui aime bien ajouter son grain de sel quand il est bouleversé. Peut-être qu'elle sait des choses de là où elle lui parle, peut-être qu'elle connaît déjà ce qui les attend et peut-être qu'elle n'ose pas lui dire qu'en effet tout ça, c'est de leur faute.

Georges a chaud, il a mal un peu partout, un corps courbaturé qu'il traîne. Il enlève sa casquette, s'essuie le front et ça ne manque pas. Un clochard, *Vous n'auriez pas 50 centimes ?* Une femme sans âge, les traits lissés, *Savez-vous où sont les toilettes ?* Un jeune homme qui ressemble à une jeune femme, *Le train de 17 h 53 est parti ?* Le marchand de journaux, peut-être aussi vieux que lui, *Pouvez-vous me donner un coup de main pour déplacer vers le fond du magasin le présentoir de cartes de vœux, les roulettes sont cassées.* Georges dit, *J'ai rien, mon vieux, Je ne sais pas, demandez au guichet, Oui, D'accord, mais il ne faut pas que je m'absente longtemps.* Le présentoir n'est pas lourd mais il est difficile à déplacer à cause des cartes qui s'y trouvent encore. Quand il revient à sa place, le train de la petite est enfin arrivé. Tous les passagers doivent débarquer avant que les enfants voyageant seuls puissent descendre du train avec leur accompagnateur.

Il faut l'imaginer, Georges Éviard, scrutant les visages, allongeant la nuque, se mettant sur la pointe des pieds. Ses cheveux sont d'un blanc lumineux et, dans le gris glissant de cette journée, ils semblent irréels. Son cœur est tourmenté, partagé entre impatience et crainte. Quand enfin il voit sa petite-fille avancer à côté d'un accompagnateur en gilet rouge et que, sur son visage, il lui semble retrouver cette même impatience et cette même crainte qui travaillent son cœur, il n'en peut plus soudain.

PALOMA !

Georges est lui-même surpris par le volume de sa voix, bien plus fort qu'il ne l'aurait fallu, il a l'impression que tout le monde se retourne sur ce cri mais son embarras dure à peine quelques secondes parce que Paloma est en train de courir vers lui et son visage se détend, son cœur se détend, il s'entend rire, sa femme rit aussi dans sa tête et quand sa petite-fille se jette dans ses bras, il a l'impression que tout peut être réparé et ce moment-là, oh bon Dieu, ce moment-là est tout simplement parfait.

Loup, comme l'animal

Le docteur Michel aime à penser qu'il peut tout regarder en face. La vie comme la mort, le sang comme le lait, la douleur comme la joie. Quand il prend son service, précisément au moment où il enfile sa blouse blanche et sent ce poids plume tomber sur ses épaules, en mieux il se transforme : ses enjambées sont longues et fluides, ses gestes assurés, sa voix baisse d'un ton, ses épaules s'éloignent de son cou, sa nuque s'allonge et, tandis que son cerveau se met en alerte, comme éclairé de l'intérieur, son cœur ralentit. Il est prêt. Il observe, il palpe, il interroge, il apporte des réponses, il passe de visage en visage, de mal en mal avec le même sérieux, la même distance. Toujours pourtant, il quitte ses patients avec un mot dont l'intonation est plus douce, plus allongée, et le docteur Michel aimerait que l'effet soit comme une caresse légère sur la joue, dans les cheveux. Il pense à ces petits détails-là, comme à la couleur de ses chaussettes ou à la forme courbe de ses ongles qu'il entretient par une manucure mensuelle chez une professionnelle, et peu importe leur véritable impact sur les patients, ces détails-là protègent le docteur Michel de la violence quotidienne.

Les journées, les nuits et les années passent et il garde cette même tenue, certains diraient qu'il a de la prestance, de l'allure même ; d'autres qu'il est froid, imperméable, si peu empathique mais qu'importe, c'est un bon médecin. Bien sûr, il aurait aimé briller, découvrir, publier, mais il n'est pas bon à ce point-là et il le sait. Il arrive que dans la rue on le salue d'un discret signe de tête ou d'un sourire timide ; on ne vient jamais lui serrer la main ou lui donner des nouvelles, oh non. Avant, il se félicitait de cette distance respectueuse, presque craintive, qui maintenait à l'écart ce qu'il nomme « les gens » mais curieusement, désormais, il se demande ce que c'est que d'être de ces médecins qui éveillent plus que de la reconnaissance ou du respect, être de ces praticiens auxquels on finit par s'attacher et que parfois on chérit, sans détour. Ce sont des manifestations qu'il a pu voir auprès d'autres collègues (il y a les fleurs, le chocolat, les photos, il y a les visages qui s'animent d'un coup, il y a l'émotion débordante et contagieuse) et maintenant qu'il vieillit, bien plus souvent qu'il ne veut bien l'admettre, il sent une étrange émotion lui envahir le ventre : ce n'est pas de la solitude, ce n'est pas du regret, c'est comme l'impression de s'être trompé. Pendant ses insomnies de plus en plus fréquentes, il essaie de se souvenir d'un acte médical précis, d'un patient particulier qui lui aurait apporté une satisfaction particulière, mais c'est une foule de visages et de gestes qui lui revient. Un amas flou, pâle et un peu triste. Qu'aura-t-il accompli, vraiment, pendant toutes ces années ? A-t-il, une fois, ne serait-ce qu'une fois, consolé durablement le cœur d'un patient, soulagé par autre chose que des calmants la douleur insondable de l'âme ?

Quand il se réveille le matin et que pas un bruit ne sourd de son appartement, il doit faire un effort pour convoquer un visage familier (n'importe lequel, un vivant, un mort, un personnage). Puisqu'il ne manquait visiblement à personne, le docteur Michel aurait tant aimé que quelqu'un lui manque.

C'est le premier jeudi de septembre et, depuis douze ans, il consacre une journée par mois, bénévolement, au centre de santé près de la gare. Ici, au centre, le temps est plus dense, tant d'actes médicaux à accomplir, tant histoires d'hommes et de femmes qui débordent plus qu'ailleurs mais ici, il a trouvé le respect et la considération absents dans les couloirs de l'hôpital. C'était dans les petits riens finalement qu'il se consolait : les sourires francs des infirmières, leur attention affectueuse envers lui, les gâteaux faits maison qui apparaissaient à l'heure du goûter, les mines confites de reconnaissance des gens quand il les recevait, l'atmosphère qui virait à l'optimisme quand il entrait dans le bâtiment décati – il entendait Jeanne à l'accueil se tourner vers le bureau des infirmières et dire avec un mélange de joie et de surprise dans la voix *Le docteur Michel est là !* Avant, il aurait trouvé tout cela un peu pathétique mais maintenant, il devait se rendre compte que c'est bien ici, avec ces gens-là, les pauvres, les réfugiés, les sans paroles, les mères célibataires, les alcooliques, les drogués, les moins que rien, les chutés, les tombés, les mal nés, les accidentés, qu'il se sentait vraiment utile.

Quand il se gare à sa place réservée dans le petit parking du centre de santé, ce jeudi de septembre, le docteur se sent un peu fatigué. Ses nuits sont agitées, il entend du bruit, il se lève plusieurs fois pour vérifier que la porte est bien verrouillée, il craint des insectes avec cet été indien, ses draps sentent la vieille peau, son cœur ne se calme jamais vraiment... C'est comme s'il allait se passer quelque chose. Dans sa voiture, le docteur se reprend. Non, il est un bon médecin qui donne une journée par mois à la communauté des hommes, et en cela son existence est déjà beaucoup, beaucoup plus valable que des milliers d'autres. Cette journée va lui faire du bien, lui remonter le moral, lui redonner du baume au cœur. Il sort de sa voiture, prend une grande respiration et quand il claque la portière, sa petite neurasthénie bourgeoise s'éparpille dans l'air frais et lavé de ce matin.

Il y a une femme en train d'accoucher dans la salle numéro un.

C'est ce que Jeanne lui dit, dès qu'il ouvre la porte du centre, avant même qu'il n'en passe le seuil. Jeanne est devant lui, le visage si près du sien. Il remarque pour la première fois le duvet foncé qu'elle a sur les lèvres et ses yeux noisette. Elle est plus grande qu'il ne l'avait pensé. Le docteur Michel hésite un instant parce que le centre n'a pas le droit de faire des accouchements, c'est dans le règlement, et quand une femme arrive ici en phase active de travail, Jeanne – cette même femme paniquée devant lui – appelle immédiatement les pompiers. Mais Jeanne répète, d'une voix tremblante comme si elle avait peur, *Il y a une femme en train d'accoucher dans la salle numéro un.*

Ce dont le docteur Michel se souviendra toujours, c'est de ce tatouage immense qui semble gober toute la lumière de ce matin de septembre et la faire rejaillir en éclats vert et orange dans toute la pièce. Il est littéralement stoppé par cet effet kaléidoscopique et pendant quelques secondes il ne sait quoi faire, de sa mallette, de ses bras, de ces mots qui allaient sortir de sa bouche et qui s'en trouvent soudain empêchés. Pressé par Jeanne dans son dos, il entre dans la pièce et réalise que c'est un énorme dragon qui grimpe sur le dos de la femme.

C'est trop tard pour appeler les pompiers dit Jeanne derrière lui qui ajoute d'autres choses encore mais le docteur Michel n'écoute plus. La femme est à genoux, complètement nue, les deux mains appuyées sur le mur en face d'elle. Ses cheveux roux sont ramenés en un chignon désordonné au-dessus de son crâne. Elle tourne son visage vers le docteur Michel et le cœur de celui-ci se serre. Ce visage est bien trop jeune, bien trop pur pour être, ici, dans cette position, à se tordre ainsi, son corps est bien trop lisse, bien trop laiteux pour porter ce tatouage. C'est ce que le docteur Michel aurait pu imaginer sur le corps de ces membres de gangs asiatiques qu'on voit dans les films et il ne sait pourquoi – lui qui a tant vu et qui aime à penser qu'il peut tout regarder en face – cela le choque. La jeune femme ne le quitte pas des yeux, ouvre la bouche mais n'en sort qu'un gargouillis puis une plainte longue et fine telle une liane. C'en est trop pour le médecin qui détourne le regard.

Près de la fenêtre, il y a une petite fille. Elle est debout, sur la pointe des pieds, comme si elle cherchait à mieux voir dehors. Elle ne fait aucun bruit, sa présence est immobile, surnaturelle, pareille à ces enfants dans les films d'horreur qui voient tout et savent tout. Longtemps après, le docteur Michel se souviendra de cette frêle figure qui allongeait le cou et peut-être voyait-elle autre chose que le terrain en pente envahi de broussailles jaunies, les grilles du chemin de fer, les pylônes électriques ? Peut-être admirait-elle, ce matin-là, ce ciel si bleu, si calme ? C'est la présence de cette enfant qui secoue le docteur Michel de sa torpeur et le ramène à son travail. Il demande à Jeanne d'emmener la petite fille ailleurs, il pose sa mallette, s'approche de la jeune femme, baisse sa tête jusqu'à ce que son visage soit à hauteur du sien. Le docteur Michel, qui jusqu'à présent n'a connu et exercé que la distance et le maintien de ces barrières invisibles entre des gens comme lui (les médecins, les avocats, les professeurs) et les gens comme elle (tatoués comme ça, accouchant comme ça, mères comme ça), allonge son bras pour entourer les épaules de la jeune femme. De sa main, il masse doucement le muscle deltoïde gauche et lui murmure, *Je suis le docteur Michel, je suis là pour vous aider mais ce que vous faites est très bien, mademoiselle, continuez.* La jeune femme incline la tête vers le visage du docteur et ses cheveux viennent lui chatouiller la joue, la tempe. Il inspire profondément. Elle sent la sueur, le fer, l'essence et, étonnamment, le jasmin. Toute sa vie, le docteur Michel a évité les odeurs prégnantes, ces odeurs qui disent comment on vit, comment on aime, mais ce matin-là, c'est exactement ce dont il a besoin. À chaque contraction, la tête de la jeune femme se presse un peu plus contre son visage et le docteur Michel inspire et aspire un peu le parfum, le relent, l'effluve, l'essence et pourquoi pas la jeunesse de cette femme. Parle-t-elle sans mentir, avance-t-elle sans tressaillir au moindre bruit ? Aime-t-elle comme si elle n'avait peur de rien ? Vit-elle comme un dragon à cracher du feu ?

Le docteur Michel ne sait pas, ne sait plus s'il y a encore quelqu'un d'autre dans la salle, le temps s'arrête et tourne sur lui-même et cet infini-là est tout à fait supportable pour lui. Le souffle court puis long, le relâchement puis la contraction, la longue plainte puis le silence. Et toujours, leurs têtes collées l'une à l'autre.

Soudain, d'une voix étranglée et rauque, elle dit *Il arrive, je sens sa tête*. Le docteur Michel recule instinctivement non pas pour faire son travail de médecin mais pour mieux voir parce qu'il sait que lors de ses insomnies, pendant ces dimanches qui se déroulent comme un tapis gris et informe, quand il se sent si seul et si sec, il convoquera ce moment.

La jeune femme tatouée fait elle-même tout le travail. Le temps, la médecine et le progrès n'existent pas, elle pourrait être dans une cave, sur une plage déserte, elle pourrait être la toute première femme au monde, qu'importe, elle se cambre, s'accroupit, pousse, respire, et tout son corps est animé de contractions qui font comme des vaguelettes sous la surface de sa peau. Elle devient une mer travaillée de l'intérieur et derrière elle, à côté d'elle, le docteur Michel ne fait que regarder et asseoir son impuissance. Il est fasciné par ce retour d'instinct, il est aimanté par le dragon qui semble se réveiller, écaille verte après écaille verte, flammèche rouge après flammèche rouge. Bientôt, pense-t-il moitié émerveillé, moitié effrayé, cette jeune femme au visage si parfait ne va faire qu'un avec le dragon et, oui, bientôt elle crie comme l'autre crache des flammes au croissant de son épaule droite, elle se redresse et, de ses deux mains, elle attrape le petit garçon qui glisse hors d'elle.

Une chaleur infiniment douce emplit le docteur Michel tout entier. C'est ça alors qu'il tenait si loin de lui, cette vérité bestiale qui nous transforme, qui nous accomplit, qui nous dépasse ? Est-ce ainsi qu'il aurait fallu vivre et aimer ? Il pratique l'Apgar à ce petit garçon vigoureux qui crie comme doivent crier tous les nourrissons en bonne santé et enfin il est devenu, c'est certain, ce médecin qu'on n'oublie pas, qu'on n'oubliera jamais.

Quand le docteur Michel se retourne, la jeune femme est appuyée sur l'oreiller, elle a détaché ses cheveux et, aidée de Claude, l'infirmière, elle revêt une blouse blanche. Il remarque un autre tatouage entre ses seins. Son visage est hiératique, elle lui fait l'effet d'une beauté crue, brute, de celles qui existaient avant les canons, les normes, les modes, un truc mythologique, et il ne sait pas quoi faire de toutes ces pensées inattendues. Et de cette tendresse qui le submerge. Il s'approche avec le bébé toujours hurlant et, d'une main, elle l'arrête *Pas de sein.* Sa voix est cassante. Le médecin tressaille. Il n'ose même pas poser l'enfant sur sa mère. Claude sort rapidement de la pièce. D'habitude elle est de ces femmes à ne jamais cesser de bavarder, grandes histoires, petits détails, un véritable moulin à paroles, et le docteur Michel soupçonne que c'est le genre de femmes à commenter, seule chez elle, sa vie. Ce matin pourtant, elle ne dit rien en tendant un biberon de lait infantile à la jeune femme qui prend d'abord le bébé des mains du docteur Michel, le cale au creux de son bras, attrape le biberon, glisse la tétine dans sa bouche et tourne la tête vers la fenêtre. De profil, elle apparaît encore plus belle. Quelle femme, pense le docteur Michel.

— Il s'appelle comment ce petit garçon ?

— Il s'appelle Loup.

— L-o-u ?

— Non. L-o-u-p. Comme le grand méchant loup.

— Ou comme saint Loup, l'évêque de Troyes, connu pour son courage. Il avait réussi à convaincre Attila d'épargner sa ville.

— Non. C'est comme l'animal.

Il signe le certificat d'accouchement (s'extasie en silence sur le prénom de la jeune femme, Phénix !), se retourne plusieurs fois pour repérer un je ne sais quoi dans son visage, quelque chose qui lui donnerait la permission de s'approcher, de venir admirer, de caresser la petite tête de Loup, de dire deux trois mots de félicitations mais non, il n'y a rien et il doit partir vers d'autres patients. Quand il arrive à la porte, il se retourne, le dos droit, les épaules dégagées, et il s'attend à un mot, un sourire, si habitué à ce que les gens le remercient, mais Phénix le regarde comme si elle ne l'avait jamais vu auparavant.

Toute la matinée, il s'occupe de cette foule sans qu'aucun visage ne supplante celui de la jeune femme. Personne n'a un dragon tatoué sur le dos, personne n'a les cheveux roux, personne n'a son odeur, personne n'a le visage d'un marbre de l'Antiquité. Deux enfants déjà à son âge ! Un dragon dans le dos ! La maîtrise de la douleur et de son corps ! Comme il aimerait vivre un peu cela aussi, ce dense, ce sombre, même si ce n'est que par procuration. Elle le fascine et lui fait un peu peur, c'est étrange, il n'avait jamais connu cela auparavant. Et pendant que le docteur Michel s'occupe de tous ces autres gens qui se rendent compte combien il est distrait et distant, combien ses gestes sont pressés, pendant qu'il fantasme sur cette Phénix tatouée comme si elle n'était là que pour lui, que pour lui offrir la possibilité de se mentir, de vivre des jours plus sulfureux, plus excitants, Claude surveille discrètement la salle numéro un dont la porte entrouverte lui permet d'apercevoir la petite fille.

Elle s'appelle Paloma, elle a onze ans tout juste. Elle est assise sur une chaise et berce doucement son frère.

— C'est bon, il est calmé ?

— Oui. Il est gentil ce bébé.

— Peut-être. Mais il faudra lui apprendre que ça sert à rien d'être gentil dans la vie. Tu n'as rien dit à l'infirmière ?

— Non.

Claude sait qu'elle devrait entrer mais elle se sent empêchée. C'est comme un secret que ces trois-là possèdent et qui les met sous cloche, impossible à atteindre. Ça a commencé quand elle a vu le docteur Michel penché auprès de la jeune femme avec ce dragon dans le dos. Leurs têtes étaient presque collées l'une à l'autre, comme s'ils se murmuraient des choses, elle était à genoux, nue, et lui sans sa blouse blanche, un bras autour d'elle. Claude qui travaille ici depuis quinze ans, depuis le temps où le centre était encore un dispensaire, a trouvé ça, oui, indécent. Le docteur Michel, si froid, si distant, si snob parfois, était métamorphosé. Il avait littéralement rapetissé. Son visage s'était ramassé en une sorte de moue pitoyable, son dos s'était arrondi, il avait ensuite déambulé dans la pièce tel un petit homme transi d'émotions, mains jointes, yeux de merlan frit. Claude n'en revenait pas. Puis elle avait appris leurs noms : Phénix, Paloma, Loup, et l'infirmière avait commencé à marmonner, comme elle le fait quand elle est angoissée ou se sent seule. Elle devrait entrer dans la salle, leur dire qu'ils doivent passer la nuit à la maternité, qu'elle s'arrangera pour qu'une ambulance vienne les chercher dans l'heure. Elle devrait passer un coup de fil aux services sociaux. Elle devrait entrer, vérifier si tout est normal. Il n'y a pas que les prénoms, il y a cette petite fille trop silencieuse et sa manière de rester immobile comme si elle cherchait à se faire oublier, c'est la façon dont la mère est arrivée ce matin, s'imposant ici, c'est son « pas de sein », c'est sa beauté extraterrestre, c'est ce bébé dans les bras de cette petite fille, c'est cette voix qui coupe, ces tatouages, cet accouchement si bestial, sans pudeur, c'est l'ensorcellement du docteur Michel comme ça, d'un claquement des doigts alors qu'elles, Claude et Jeanne, n'ont jamais pu lui extirper autre chose que des paroles pincées. Non ce n'est pas normal, elle le sent. Mais toutes ces années au centre lui intiment de laisser les choses telles qu'elles sont, que parfois il vaut mieux ne rien dire, ne rien faire parce qu'on ne sait jamais si entre les mains on tient une arme ou un fruit.

— On y va maman ?

— Oui, j'ai appelé un taxi. On sera mieux chez nous.

Claude recule et ses chaussures d'infirmière ne font pas de bruit.

Il n'y a personne dans la salle de consultation numéro un quand le docteur Michel revient et il la cherchera partout, jusque dans les toilettes des hommes. Il s'enfermera dans son petit bureau et se sentira comme un enfant abandonné. Serait-ce ainsi sa vie sur terre alors ? À passer sans laisser la moindre trace, la moindre empreinte ?

Oh, sûrement que Phénix parlera de lui à Loup, n'est-ce pas ? C'est le docteur Michel qui t'a mis au monde ! Tout n'est pas perdu, il ne sera pas complètement oublié. Parce que ce n'est qu'ainsi que les hommes comme lui, seuls, sans enfant, sans foyer ont une chance de durer. En entrant dans les histoires et les anecdotes des familles, en arborant l'aura de ceux qui ont aidé au passage d'un monde à l'autre, de ceux qui ont été là dans les moments de vérité.

La journée se termine et, dès que le soleil se couche, le vent froid annonce un automne humide et spongieux. Le centre ferme et redevient ce cube tagué posé près des rails. *Au revoir, docteur Michel ! Au mois prochain, docteur !*

Il n'y a rien à faire désormais, songe le docteur. Il faut rentrer chez soi, allumer une lumière ou deux, se verser un whisky et attendre que la nuit propose ses fantômes aux chevelures rousses, ses rêves peuplés de dragons, de loups, de phénix et de colombes. Il reste à espérer que les draps sentent le jasmin.

Le jour coupé en deux

Ils sont tous les trois, assis à la table du salon, celle à laquelle jamais ils ne déjeunent ni ne dînent, celle qui sert pour les devoirs, les papiers, le bricolage, le rangement, le fatras. Il y a même une nappe sur cette table, voyez-vous ça, une vraie nappe en toile, neuve probablement, qui émet une vague odeur de plastique et de renfermé et, sur cette nappe, il y a un seul motif, un panier de fruits, répété sur le bord pour en faire un liséré, pommes poires cerises grappe de raisins dans un panier de fruits, pommes poires cerises grappe de raisins dans un panier de fruits, pommes poires cerises grappe de raisins dans un panier de fruits. Comme ça, vingt-six fois.

Au milieu de la table recouverte de la nappe neuve, il y a un gâteau, une forêt-noire pour être exact, qui attend d'être découpé et partagé mais personne ne bouge.

Peut-être qu'il est encore temps que ce jour ne leur brise pas le cœur, à ces trois-là.

Peut-être que si la magie existait, une cloche de verre pourrait être posée sur la maison, le jardin, et sous cette cloche, qui serait le contraire d'une prison et qui agirait comme celle des terrariums, ils trouveraient le moyen de grandir, de s'épanouir, de se respecter. Leurs rêves, le soir, se transformeraient en oxygène, ils diraient des mots qui deviendraient des substrats, ils seraient autosuffisants en amour, toujours.

Peut-être que si les gens et les cœurs pouvaient changer en un instant, l'un d'eux aurait à cette table un geste qui ferait oublier tous les autres ou des paroles si sincères et si douces que, d'un coup, celles d'avant n'existeraient plus.

Si seulement ces choses-là étaient possibles, alors ces trois-là ne seraient pas là à attendre que quelque chose arrive enfin pour briser le déroulé du temps.

Mais il est trop tard pour invoquer, prier, souhaiter, pour laisser à d'autres le soin de changer sa propre vie. Il s'agit en ce jour d'hiver, ce jour où le givre a grignoté le jardin jusqu'à en faire un terrain blanc et hérissé, il s'agit pour ces trois-là d'aller au-delà d'eux-mêmes, de s'extirper, sans aide, de leur prison intérieure.

En se levant ce matin, la tête lourde de cette bouteille de picrate qu'elle a terminée la veille, Phénix savait qu'elle devait faire quelque chose. Dans le couloir, elle a aperçu la valise et, instantanément, a été prise d'une furieuse envie de vomir. Elle a regardé ailleurs, elle est entrée dans la cuisine, elle a découpé un citron et elle a pressé les deux moitiés dans sa bouche, comme ça, en basculant la tête en arrière. Le jus a dégouliné sur son visage, quelques gouttes l'ont atteinte à l'œil, elle a dit merde, des larmes ont coulé mais il ne faut pas croire que c'était pour la valise dans le couloir. Phénix ne pleure plus. Il y a deux plis qui font le tour de son cou, le contour de sa mâchoire est moins marqué qu'avant, ses paupières tombent un peu – c'est comme si le temps avait flouté ses traits de marbre, ses contours de pierre sculptée, l'acier de son regard, la fermeté de sa peau, tout ce qui la rendait si irréelle aux yeux des autres, tout ça s'est un peu effrité maintenant et peut-être que c'est mieux, elle est moins froide, moins distante, moins impressionnante tout simplement. Elle a étalé ce qui restait du jus de citron sur son visage, ça avait picoté, réveillé sa peau, c'était presque bon et, doucement, elle a fait rouler les pépins sur sa langue puis les a fait craquer entre ses molaires. Il faut l'imaginer, cette grande femme rousse, tatouée, un peu saoule encore, si triste, immobile, concentrée sur l'amertume qui envahit sa bouche, coule dans sa gorge.

Après, il n'y avait eu qu'elle-même, elle seule ici, personne pour lui dire quoi faire, pour lui souffler la réponse. Il n'y avait que son histoire de petite fille ratée, cette Éliette qui chantait dans le salon, dans la salle de spectacle, cette Éliette qui était restée des jours et des jours à l'hôpital et qui prenait des médicaments pour dormir. Et il y avait cette autre Éliette, cheveux rouges, cheveux bleus, cheveux multicolores, crâne rasé, qui avait brûlé la maison de ses parents, et il y avait Phénix, qui buvait un peu, qui vendait des pièces détachées, qui avait fait deux enfants avec deux hommes différents et qui les élevait seule et alors, et qui ne leur disait pas mon chéri, ma chérie, elle ne leur disait pas d'être ce qu'ils ne voulaient pas être mais ça n'avait pas suffi. Bon sang, comment faut-il la mener cette putain de vie pour qu'elle ne vous morde pas au quotidien ? Phénix avait pourtant fait tout le contraire de ses parents, eux qui lui disaient tout le temps d'être comme ci comme ça, de chanter, de sourire. Elle n'a pas fait ça, elle, elle n'a pas décoré leurs chambres de posters roses et bleus, elle ne les a pas déguisés, elle ne les a pas offerts à tous les regards, elle n'a pas acheté des poupées et des jolies robes pour les costumer, elle leur avait donné des prénoms de fauve et d'oiseau, elle leur avait donné des griffes et des ailes mais ça n'avait servi à rien. Ses enfants étaient pétris de sentiments, ils étaient chétifs, peureux, ils avaient peur de la maison, ils avaient peur du creux dans le jardin, ils avaient envie d'être pris dans les bras, qu'elle dise des mots d'amour, et quand elle a repensé à ses parents, à celle qu'elle avait été, à ce qu'elle avait traversé, tout était tissé serré bien serré autour d'elle, comme une toile d'araignée, et jamais elle n'a été aussi empêchée, emprisonnée, captive.

Phénix a regardé cette cuisine où rien n'accroche le regard et soudain elle a pensé à un gâteau. Elle a imaginé quelque chose de rond, de haut, avec du chocolat, de la crème au beurre, comme ceux qu'elle achetait avant pour les anniversaires des enfants. Oui, un gâteau fait par des mains expertes, avec un batteur, des douilles à pâtisserie, des spatules. Ce n'est pas rien, ça, n'est-ce pas ?

Dix minutes plus tard, lavée, changée, elle avait crié, les clés de la voiture à la main *Je vais faire des courses, je reviens !*

Paloma entendit sa mère. Qu'est-ce qu'elle avait dit ? Des courses pour demain ? Qu'importe, avait pensé la jeune femme qui était assise dans sa chambre comme on s'assied dans une pièce qu'on ne connaît pas, sur une chaise, le dos droit. Tout était prêt, la valise, le sac à dos, le billet de train dedans. Elle était déjà habillée, il ne lui manquait que les chaussures, le manteau. Là-bas, aussi, tout était prêt et Paloma avait l'impression qu'enfin elle allait rejoindre sa vraie vie, celle qui s'était déroulée loin d'elle depuis toutes ces années. Dans une semaine, elle entrerait à l'université, elle avait reçu une bourse complète et avant de pouvoir louer une chambre à elle, elle irait chez son grand-père. Elle avait rêvé de ce moment depuis tant d'années. Il ne fallait pas qu'elle flanche maintenant.

Paloma regardait son frère dormir et elle savait qu'elle dormait comme ça aussi, en chien de fusil, les genoux remontés haut, les mains en prière sous l'oreiller. Combien de ces choses-là ont-ils en commun, lui le petit garçon étrange à la peau dorée et elle, la jeune femme qui s'apprête à quitter la maison ? De là où elle était, elle entendait son souffle régulier et, parfois, un soupir, un chuchotement – peut-être était-ce l'écho de la voix qu'il avait dans ses rêves ? Depuis qu'il avait appris qu'elle partirait, il venait chaque soir dans son lit et se collait à elle. Il ne disait rien, il s'accrochait tout simplement, de toutes ses forces.

Paloma – et il ne faut pas oublier comment elle est assise au bord de cette chaise, le dos droit, il ne faut pas oublier comment elle prend si peu de place sur terre –

aurait pu sortir de sa chambre, faire le tour de la maison lentement, laisser sa main effleurer les murs où jamais aucun cadre n'avait tenu, faire un café dans la vieille cafetière, prendre un objet dans sa main, le faire rouler doucement, le porter à son nez, regarder quelques livres qu'elle n'emporterait pas, se souvenir de son enfance, se rappeler un événement précis, un goûter d'anniversaire, un dîner, une soirée en famille, qu'importe, et se le repasser dans sa tête avec minutie, qui avait fait quoi, qui avait dit quoi, et se sentir triste et reconnaissante à la fois, se sentir prête enfin. Oui, Paloma aurait pu faire ce genre de choses que les gens font quand ils savent que c'est la dernière fois mais elle ne voulait pas que le temps ralentisse, elle ne voulait pas se créer d'autres souvenirs à classer dans ce coin appelé « dernière fois », elle voulait juste partir.

Paloma avait regardé sa montre, il était 8 h 05, encore trois heures à tenir, avait-elle pensé et à la façon brusque dont Loup s'était redressé dans son lit, Paloma avait su que ce n'était pas bon signe.

Ce qui se passe dans la tête de Loup quand son visage semble sous l'eau, que ses traits sont flous, que son regard est brouillé, il ne faut surtout pas essayer de savoir. Il ne faut pas poser de questions, il ne faut pas lui dire de se calmer, il ne faut surtout pas le toucher à ce moment-là, il se mettra à crier comme si vous l'aviez blessé. Paloma savait tout ça. Elle s'était levée de sa chaise, elle avait ouvert la porte de sa chambre, elle a dit *Loup, regarde, c'est ouvert* et quelquefois c'est suffisant pour qu'il se tranquillise mais pas aujourd'hui, évidemment, pas aujourd'hui.

Loup n'est pas malade dit le docteur Michel, à chaque visite mensuelle. *Il ne sait pas gérer son stress, tout simplement* et quand il dit *tout simplement*, Paloma a parfois envie de lui balancer une chaise au visage.

« Tout simplement » c'est ça : un petit garçon de sept ans qui veut échapper à lui-même, qui ne peut pas contrôler son corps par ses pensées, celles-ci étant trop nombreuses, difformes, contradictoires.

« Tout simplement » c'est ça : des crises, plusieurs fois par an, provoquées par un trop plein, un pas assez, un je ne sais quoi et, aujourd'hui, par la tristesse de savoir que sa sœur n'allait plus être là.

« Tout simplement » c'est ça : un petit garçon qui court autour de la maison, qu'il fasse froid, qu'il vente ou qu'il pleuve, et dit comme ça, ce n'est rien n'est-ce pas, un gosse qui court, mais lui, Loup, court jusqu'à l'épuisement, jusqu'à la nausée, jusqu'à ce que ses jambes cèdent, jusqu'à ce que ses pensées trop nombreuses, difformes et contradictoires, reculent au fond de son cerveau et alors il peut s'écrouler et attendre que sa sœur ou sa mère le porte dans la maison, le lave, le soigne, le fasse manger, le mette devant un dessin animé ou le recouche.

Il y a donc ce gâteau dont l'emballage précisait « transformé en France et assemblé dans nos ateliers », il y a cette table dressée, cette nappe neuve achetée au dernier moment, il y a donc ce jour à traverser mais d'abord, pense Phénix dont le cœur frémit comme celui d'un petit oiseau tombé d'un arbre, il faut dire quelque chose, n'est-ce pas ?

Quelque chose qui n'est qu'à soi, quelque chose de vrai, qui vienne du cœur et qui ne s'occupe pas du sens ou de la raison mais qui est, tout simplement.

Phénix regarde ses enfants, elle répète dans sa tête, voici mes enfants, parce que tant de fois ceux-ci semblent loin d'elle, comme si elle les regardait à travers des dizaines et des dizaines de vitres.

Paloma fixe le gâteau, sourcils froncés. Elle se demande peut-être si celui-ci est un leurre, s'il contient quelque chose de menaçant qui va bientôt leur éclater à la figure ? Elle rapproche sa chaise de celle de son frère, elle ne lâche pas le gâteau des yeux.

Loup regarde sa mère avec cette attention perçante qu'il a souvent, comme s'il regardait à l'intérieur de vous, comme s'il voyait votre cerveau travailler, les pensées aller et venir.

Soudain, Phénix sait ce qu'elle va dire et cette histoire est à la fois extraordinaire et familière. Elle n'en a jamais parlé à ses enfants, ni pensé à le faire, et ceux-ci ne l'ont jamais interrogée à ce sujet. Pourtant c'est comme si cette histoire était là depuis le début, depuis bien longtemps, elle les avait suivis partout, libre comme le vent, attendant que ces trois-là s'arrêtent, un jour comme celui-ci, dans le silence et l'incertitude.

Cette histoire est celle-ci :

« Je me demande ce qu'ils pourraient bien nous dire ces murs s'ils pouvaient nous parler. Les choses sont rarement ce qu'elles semblent être et c'est vrai que cette maison, hein, qui pourrait l'aimer, qui pourrait se dire en la voyant, tiens je ferais bien ma vie ici, je me vois bien avec mes gosses ici et dans ce jardin qui pourrait bien imaginer des fleurs, des arbres, une balançoire, une cabane au fond pour jouer ? Je me rappelle la première fois que je l'ai vue. Elle m'a fait penser à ces maisons dans les contes de fées, là où vivent les sorcières ou les bannis, vous voyez ce que je veux dire ? Il y avait des mauvaises herbes partout, certaines m'arrivaient jusqu'à la taille et j'ai pensé que j'avais atteint le bout du monde et c'est exactement ce que je voulais. Je suis arrivée ici avec un garçon qui s'appelle Noah. Ce n'est pas son vrai nom mais Noah lui allait bien. Il était né ici, comme vous deux. Je l'ai rencontré dans la rue, il avait une guitare à la main, il jouait quelques notes, on aurait dit qu'il était seul au monde, qu'il faisait ses gammes ou je ne sais quoi mais il faisait la manche ça c'est sûr. On s'est retrouvés à discuter, à s'apprécier, et il m'avait parlé de cette maison qui l'attendait. Il disait ça, oui, comme ça, il avait une voix très douce, il fallait se rapprocher de lui pour l'entendre, il disait, ma maison m'attend et je ne sais pas comment l'expliquer, peut-être que je n'y arriverai pas mais à chaque fois qu'il me disait ça, mon cœur battait plus vite. Il avait un endroit à lui, il avait une place dans ce monde ! C'était un sentiment que je ne connaissais pas, que j'enviais même. Quand j'y repense, la maison de mes parents... Elle était jolie, tout était coquet comme ma mère disait, il y avait un jardin où ma mère faisait pousser des fleurs dont je ne me rappelle plus les noms, il y avait l'usine et il y avait l'atelier de couture. Ça aurait pu marcher... bien sûr... ça marchait pour tant d'autres mais pas pour moi. Je ne supportais pas cette vie-là, je me sentais comme une poupée mécanique dans sa boîte en plastique qu'on rangeait sur une étagère et, de temps en temps, on la sortait pour la remonter et elle dansait, elle chantait et tout le monde applaudissait. Parfois j'aimerais dire que j'ai trouvé à qui c'était la faute parce que j'y pense souvent à cette époque. Qui est le responsable ? Qui m'a faite telle que je suis, qui m'a planté ces idées dans la tête, qui m'a donné ces envies, ces rêves, ces cauchemars ? Je ne sais pas et il faut vivre avec ça je suppose.

On était bien ensemble Noah et moi, et un jour, je suis venue avec lui, ici. J'ai aimé cette maison dès que je l'ai vue, c'est comme rencontrer quelqu'un qui jamais ne vous mentira, jamais ne vous fera croire ce qu'il n'est pas. Nous avons bossé comme des fous pour désherber, déblayer, nettoyer, je n'avais jamais travaillé comme ça avant. Plus je me fatiguais, plus mon esprit s'éclaircissait et ce qui avait existé avant, lentement, s'effaçait. Noah avait des connaissances en mécanique et, petit à petit, nous avons monté notre affaire de pièces détachées. J'ai appris de lui. Avec lui. Ce que je veux vous dire c'est que cette maison m'a fait du bien, elle m'a protégée, elle ne m'a jamais trahie. Même quand Noah est parti, même quand ça tanguait fort pour moi... Je sais ce que les gens disent, je sais pour le creux dans le jardin, je sais que ce chemin est pourri, je sais que vous pensez que c'est un trou perdu ici... Mais je vous le dis, c'est ici votre maison, vous pourrez faire le tour du monde, vous pourrez en dire ce que vous voudrez mais elle vous attendra et plus tard vous me comprendrez, vous verrez les choses comme moi. »

Le silence, à nouveau.

Parfois, on aimerait savoir, n'est-ce pas, la nature exacte des paroles : leur poids sur les âmes, leur action insidieuse sur les pensées, leur durée de vie, si elles sucrent ou rendent amers les cœurs. Iront-elles se loger quelque part dans le cerveau et un jour, on ne sait ni pourquoi ni comment, réapparaître ? Auront-elles un effet immédiat et déclencher colère, tristesse, stupeur ? Seront-elles incomprises, confuses ?

Phénix, qui ne supporte pas le silence qui dure autour de la table, tend la main vers le couteau pour découper ce fichu gâteau et tandis qu'elle se penche un peu, une odeur d'alcool s'en dégage. Elle se rappelle alors qu'il y a des cerises à l'eau-de-vie dans la forêt-noire et s'il y a une chose qu'elle et ses enfants détestent, c'est bien ça. Elle ne s'arrête pas, découpe trois parts, les fait glisser sur les assiettes. Paloma se lève alors et à ce geste-là, Phénix sait que ses paroles ont été inutiles.

— C'est mon père, ce Noah ?

— Quoi ? Quel rapport avec ce que je viens de dire ?

— Je te le demande. Est-ce que c'est mon père ?

— Assieds-toi, Paloma. Mange ton gâteau.

— C'est une forêt-noire, il y a de l'alcool dedans, je n'aime pas ça. Loup, ne touche pas à ce gâteau.

— Mais si, Loup, tu peux y goûter.

— Non, il ne peut pas. Il a pris des médicaments ce matin parce qu'il a fait une crise et, en plus, il déteste la forêt-noire.

Je déteste la forêt-noire. De tous les gâteaux, tu as choisi celui que nous détestons ! Quel genre de mère ferait ça ?

— Paloma !

— Est-ce que c'est mon père, ce Noah qui faisait la manche ?

— Je vous parlais de cette maison, je voulais vous dire combien...

— Oui combien tu l'aimes, toi, on a compris. Est-ce que mon père c'est cet homme ? Maman, réponds. Pour une fois, réponds. Où est-il maintenant ? Il est mort ? Il est parti en m'abandonnant ? Qu'est-ce que tu as fait pour qu'il se casse ? Tu as préféré cette maison à lui ?

— Paloma, assieds-toi et mange ce putain de gâteau.

— Non. Je ne mangerai pas ce putain de gâteau, je veux que tu me répondes. C'est mon père oui ou non, ce Noah ?

Phénix se lève. Paloma est déjà debout et c'est comme dans les vieux films où les deux personnages se regardent dans la perspective d'un duel. Elles ont contourné la table et Phénix est plus grande que Paloma, plus forte, plus rousse, plus belle, plus tatouée, plus écorchée. Mais ce matin, Paloma n'y pense pas, elle déteste sa mère autant qu'elle déteste la forêt-noire et elle hurle *Réponds-moi !* Phénix lève la main et dans cette main-là il y a encore le couteau qui a découpé le gâteau et, sur la tranche, pend un bout de cerise comme un bout de chair.

La promesse de ce jour se termine ici dans un grand cri poussé par Paloma et Phénix, un chœur en colère, un chœur stupeur, un cri dans la perspective du sang, de ce geste arrêté et de tout ce qui n'est pas venu.

Paloma fonce dans sa chambre, saisit la valise, son sac à dos, elle crie des choses comme elle crache et ces paroles entrent comme une boisson amère dans le cœur de Phénix.

Je te déteste, je ne reviendrai plus dans cette baraque pourrie, ce taudis.

Elle pose ses affaires sur le seuil, revient vers Loup et, à l'oreille du garçon, elle dit *Je reviens te chercher très vite* et ces paroles entrent comme une boisson douce dans son cœur.

Cette fille qui tire sa valise le long de cette route mal entretenue, lestée de son sac à dos, le visage ruisselant de larmes. La lumière devient métallique au-dessus d'elle, le vent se renforce. Paloma a cette impression étrange que si elle se retournait, elle verrait quelque chose de terrifiant.

Cette femme rousse qui est restée immobile avec son couteau, incrédule. Que faire avec ? Couper ce jour, en faire un avant et un après. Couper le cordon ombilical ? Couper les liens qui nous unissent et les nœuds qui vont avec ?

Elle regarde Loup et se rend compte qu'elle est absolument seule, désormais.

Dehors, il y a un mince rayon de soleil qui tombe dans le jardin et Loup est le seul à l'apercevoir. Il s'imagine sortir et tenir ses mains en écuelle à l'endroit exact où tombe ce rayon.

Dix ans plus tard, lundi

Tant de choses peuvent changer en dix ans, n'est-ce pas ?

Il y a Paloma qui n'a jamais remis les pieds dans la maison de son enfance. Elle n'a pas oublié son frère dont elle rêve régulièrement mais le temps a gommé son angoisse et sa culpabilité de l'avoir laissé là-bas. Elle a écrit, souvent, elle a essayé d'appeler, plusieurs fois, et ensuite, c'est la lassitude qui a gagné. Elle était toujours celle qui essayait, qui tentait, qui demandait pardon, qui proposait une visite, mais combien de temps est-ce qu'on peut être comme ça, à genoux, la tête baissée, à attendre une réponse ? Paloma travaille désormais. Sa vie est claire avec des touches pastel. Elle voudrait des emportements, elle voudrait faire comme les autres, ces élans, ces cris, ces baisers, cette rage à vivre sa jeunesse mais elle ne peut pas, elle s'efforce d'être ici, un peu, assez mais pas trop, et c'est comme si elle était une stagiaire dans sa propre existence, en attendant d'y être confirmée. En attendant mieux, cette vie est parfaitement supportable.

Il y a Phénix qui fait damer un sentier autour de la maison pour que Loup puisse courir encore et encore. Elle le surveille, elle le guide du mieux qu'elle peut, elle l'aime comme elle peut et elle sait que ce n'est pas suffisant. Il y a cette ligne droite qui coupe la prairie et c'est là où Phénix lui a appris à conduire et parfois cette grande rousse faiblit un peu et elle laisse Loup appuyer à fond sur l'accélérateur. Eux non plus n'ont pas oublié Paloma mais la vie à ce moment-là, quand le corps est écrasé contre le fauteuil, quand la vitesse fait remonter l'enfant qui dort en eux, cette vie-là est parfaitement supportable.

C'est un vaste monde qui se dessine en dix ans. Il y a des îles qui disparaissent, des collines qui glissent et s'affaissent, il y a le désert qui ronge les villages et les villes qui grignotent la campagne. Il y a la joie et la mort qui emporte, aussi. Il y a les pardons, et les belles choses qu'on se dit à l'aube. Dix ans mais il reste encore des endroits comme celui où se trouve Loup.

Quand les policiers ouvrent le fourgon, une femme est là, elle porte des ballerines très plates et ça lui fait des petits pieds de femme asiatique alors qu'elle est grande et noire ; elle est entourée de deux surveillants en uniforme qui ont des bottes très noires et bien cirées, ça leur fait des grands pieds de soldats. Cette femme le regarde avec gentillesse, et elle dit, pas à Loup, pas aux autres mais peut-être à elle-même, *C'est des gosses maintenant qu'on nous envoie.* Loup regarde derrière elle, ce tableau couleur de boue, effet boue, glissant et coulant devant lui, bâtiments, portes, grilles, fenêtres, marches, et quand il sort tout à fait du fourgon et que les menottes sont enlevées, il lève les yeux au ciel et celui-ci aussi est couleur de boue. Peut-être est-ce là un monde parallèle où la couleur a été enlevée pour mieux les punir et ce garçon qui porte le nom d'un prédateur se met à pleurer silencieusement.

Mais ici, il est interdit de rester dans la cour à regarder le ciel et à pleurer. Loup se laisse guider : une porte, un escalier, le bureau du greffe où il signe des papiers, où un homme lui parle sans vraiment le regarder et les mots se perdent dans ce bureau où, sur le bord de la fenêtre, une plante aux fleurs très rouges est posée. Loup reçoit un numéro d'écrou et il le fixe ce numéro plusieurs secondes, non pas parce qu'il le reconnaît mais parce qu'il se rend compte qu'il doit l'apprendre par cœur désormais, que ce numéro remplacera son prénom désormais et que si on lui demande, ici dans la maison d'arrêt *Qui es-tu, en réalité, toi ?* il ne pensera plus aux hommes ni noirs ni blancs qui pourraient être son père, ici il répondra *Je suis écrou 16587.*

Est-ce que c'est extraordinaire que ce numéro le soulage, calme son cœur, espace les spasmes dans ses jambes ? Est-ce que c'est extraordinaire qu'il se sente, pour l'instant, comme délivré du poids de son prénom ? On le guide, toujours, on dit son nom, son numéro d'écrou, parfois on dit *Salut, comment tu vas ?* mais ce n'est pas à lui qu'on s'adresse évidemment, on dit arrivant, on dit quartier mineurs, parfois on dit *Tu manges où ce midi ?* mais ce n'est pas adressé à lui, évidemment. On dit fouille, on dit douche. Le surveillant aux cheveux très blonds qui lui dit *Bonjour jeune homme* le fouille et ses mains gantées de crème n'hésitent pas et c'est mieux ainsi n'est-ce pas, on ne peut pas se tromper sur la nature de ces gestes, on ne peut pas dire que ça n'est pas arrivé, on ne peut pas faire semblant. Il laisse son portefeuille, son téléphone, il voudrait garder une feuille sur laquelle il y a les coordonnées de sa sœur (données à regret par le docteur Michel) et on la lui concède avec un *Ouais d'accord.* Il voudrait garder sa montre mais on le lui refuse avec un *Non, ça reste ici.* Loup se douche et il pense à sa mère qui le forçait à porter des tongs (gong, ping-pong) à la piscine, pour ne pas attraper des saloperies, disait-elle. Loup regarde ses pieds qui baignent dans une eau tiédasse, quelques filets d'écume mélangée à de la crasse viennent s'accrocher à ses chevilles, il sent son cœur s'accélérer et parce qu'ici il ne peut pas se mettre à courir, il termine sa douche à l'eau glacée. Il connaît des stratagèmes pour éviter que son corps prenne le dessus : courir, eau glacée, se faire mal, arrêter de respirer. Loup remet ses habits, ceux qu'il porte depuis vendredi soir.

On dit arrivant, on dit quartier mineurs, on répète son numéro d'écrou et il y a tant de portes, tant de dédales. C'est une ruche avec des dizaines d'alvéoles reliées les unes et les autres par une grille ou une porte. Il ne faut pas croire que tous les endroits d'enfermement dans ce pays ont des portes électroniques qui s'ouvrent avec un buzz, un bip, un clic. Ici, ce n'est pas un endroit qui veut faire croire qu'il est autre chose qu'une prison. Ici, il y a les cris de ceux qui sont enfermés et de ceux qui les surveillent, il y a l'écho mélangé de ces cris qui bondit sur les murs, il y a le bruit du trousseau de clés à la ceinture, de la serrure, du système de verrouillage, la porte qui s'ouvre puis claque, les bottes, le grésillement des voix dans les talkies.

Loup marche, donc, sous les regards qui coulent sur lui, indifférents, froids parfois. À un moment, on lui donne ce qu'ils appellent un paquetage et il arrive dans un espace étrange. C'est comme un grand sas de forme octogonale, à partir duquel partent plusieurs couloirs. Il y a du bleu et du jaune, ici et là. Ça sent le chou, la sueur, le métal, les souffles rances, et si les sentiments avaient une odeur, ça sentirait la tristesse, la peur, le désarroi, la colère. Quand Loup lève la tête, il voit, deux étages plus haut, le toit transparent qui laisse filtrer un jour beige (cortège, manège). S'il n'y avait pas toutes ces grilles et ces portes, ces verrous, ces deux bureaux transparents où il aperçoit des caméras de surveillance, s'il n'y avait pas ces surveillants, s'il n'y avait pas ces filets entre chaque étage, on pourrait se croire dans un hall de gare au plafond en verre et on qualifierait cet endroit de puits de lumière.

Encore deux volées de marches. Il longe la coursive. À sa gauche une cellule porte jaune fermée, un bout de mur sale, cellule porte jaune fermée, mur sale ; à sa droite, il y a ce filet de corde épaisse et poussiéreuse qui empêche les gens de sauter. Non ça les empêche de tomber s'ils sautent, ce n'est pas la même chose.

Devant une cellule ouverte, on lui dit *C'est là*. Le surveillant lui demande d'ouvrir son paquetage : un drap, une couverture, une savonnette, une brosse à dents, un stylo, deux enveloppes, des sous-vêtements, un rouleau de papier hygiénique et un livret « Je suis en prison ». Loup se tient au milieu de la pièce rectangulaire. Un petit bureau, un lit simple qu'une cloison sépare d'une cuvette de toilettes. Il est au milieu, vraiment, il sent ces choses-là à portée de main, il sent ces choses-là le regarder aussi.

Le surveillant du quartier mineurs, un homme qui, dehors, pourrait passer pour un père de famille, un frère aîné, un oncle agréable, le propriétaire d'une épicerie de quartier tant il est banal, reste encore quelques secondes puis sa radio grésille et il dit *Le repas c'est bientôt, après il y a la promenade, c'est obligatoire.*

Il ferme la porte.

Loup fait son lit, il ne pense à rien. Entre le moment où il est sorti du fourgon et maintenant, son cœur s'est fermé. Peut-être qu'il y a été préparé pendant ces longues années où sa sœur lui a manqué, ces nombreuses fois où il a espéré autre chose de sa mère – un peu de tendresse, juste une main qui s'attarde sur l'épaule, dans les cheveux, un baiser comme ça en passant, un regard plus doux, oh trois fois rien –, ces journées passées seul chez lui à attendre, à courir, à attendre à nouveau.

Il installe la savonnette, le rouleau de papier et le livret sur son lit, côte à côte. Il les observe longuement jusqu'à ce que ces objets soient dénués de leur sens premier. Il les rapproche un peu plus les uns des autres et il y a comme une consolation à voir ces choses inanimées ensemble, collées serrées. Dehors, à travers les barreaux (bravo, lasso), il y a une cour jonchée de bout de papiers, de bandes de tissu, de bouteilles en plastique, de petits sacs noirs. Il entend *Hé le nouveau, t'as des clopes, tu t'appelles comment ?*

Écrou 16587 pense à ce poème appris quand il était à l'école, qui parlait du ciel par-dessus le toit mais ce n'est pas la même chose. Il pense fugacement à sa mère puis à sa sœur mais il repousse ces pensées, il y a un instinct de survie qui se déclenche en lui, du même ordre que celui qui lui ordonne de courir ou de plonger la tête sous un filet d'eau froide et ce nouvel instinct lui intime d'oublier son cœur, de contourner ses émotions. Tout son corps et son esprit sont ramassés, resserrés entre les quatre murs de sa cellule et il attend le repas, la promenade, il surveille sa peau, il surveille ses pensées, il garde sa peur sous ses pieds, il respire profondément (*par le ventre* disait le docteur Michel) et tout ça, n'est-ce pas, c'est bien suffisant quand on a dix-sept ans.

Lundi soir, le premier de ces soirs-là

Sa mère et sa sœur savent que Loup dort en prison, même si le mot juste c'est maison d'arrêt mais qu'est-ce que ça peut faire les mots justes quand il y a des barreaux aux fenêtres, une porte en métal avec œilleton et toutes ces choses qui ne se trouvent qu'entre les murs. Elles s'allongent dans leur lit, elles tremblent de le savoir seul, elles se lèvent. Elles imaginent ce que c'est que de dormir en taule à dix-sept ans mais personne, vraiment, ne peut imaginer les soirs dans ces endroits-là.

Paloma entend les bruits de la ville qu'elle aime tant, elle inspire l'air de la nuit par à-coups mais il y a une fébrilité qui l'envahit, la sensation d'être regardée, suivie, épiée. Elle ne peut s'empêcher de passer dans toutes les pièces. La cuisine, le salon, la salle de bains, ouvrir en grand toutes les portes, vérifier les fenêtres et, enfin, sa chambre. Est-ce extraordinaire que cette pièce lui semble insoutenable ce soir, est-ce extraordinaire que la culpabilité, ce monstre à la voix mielleuse (*il voulait te voir, il a fait tous ces kilomètres pour toi, tu lui avais dit quoi à l'oreille, t'en souviens-tu, oui bien sûr que tu t'en souviens, c'est à cause de toi qu'il dort en prison, il n'a que dix-sept ans, c'est ton frère que tu as abandonné*), grandisse en elle ? Paloma voudrait bondir hors de son corps, s'extirper d'elle-même. Elle se chausse et sort. Dehors, elle se met à courir, elle halète, elle souffle, elle croit tomber mais elle ne s'arrête pas, elle pense à Loup qui courait toujours pour se calmer, pour s'oublier et ce soir, pour elle aussi, il n'y a que l'illusion de la fuite du monde et de soi qui lui reste.

Phénix a déjà bu plusieurs verres mais ça ne fait aucun effet sur son chagrin, sa colère, son désarroi. Sans vraiment y réfléchir, elle décroche le téléphone, refait le numéro de Paloma, ne s'étonne pas de le connaître sur le bout des doigts parce que malgré son masque, malgré les murs érigés autour d'elle, cette grande femme rousse se soumet à ces lois invisibles qui régissent la mémoire, les sentiments et la survie. Elle voudrait savoir si Paloma a bien contacté le juge, si elle a déposé sa demande de permis de visite, si elle a des nouvelles, si elle a téléphoné au directeur de la maison d'arrêt. Elle voudrait lui dire qu'elle a posté un colis ce matin avec des vêtements de Loup.

Mais Paloma ne décroche pas le téléphone. Phénix sort dans le jardin et elle lève la tête vers le ciel. Est-ce extraordinaire que la culpabilité, ce monstre à la voix mielleuse (*tu aurais dû répondre aux lettres de Paloma, ta colère et ta fierté sont ta perte, tu aurais dû laisser Loup contacter sa sœur, tu aurais dû laisser Paloma parler à son frère, tu as voulu te venger et voilà, tu n'aurais jamais dû lui apprendre à conduire, il est en prison à cause de toi, tu aurais dû mieux aimer tes enfants*), l'oppresse comme le grouillis d'un millier d'insectes. Elle se met à marcher et ses pieds empruntent automatiquement le sentier damé autour de la maison et sous ce ciel immense qu'elle peut, elle, voir mais pas son fils, elle se met à courir, et elle voudrait retrouver quelque chose ici, sur ce chemin que son fils a fait tant de fois, mais quoi ? Elle court et se met à espérer que, si elle ne s'arrête pas, si elle refuse la fatigue, elle finira par remonter le temps et apercevoir Loup devant elle, ce garçon étrange et doux qui court pour oublier.

Loup a dormi une bonne partie de l'après-midi et quand il se réveille, c'est l'heure du dîner et il fait encore jour. Il dit oui à tout ce que lui offre le détenu qui distribue le repas. *Cordon bleu ? Oui. Courgettes ? Oui. Kiri ? Oui. Yaourt ? Oui.* Il entend toutes les portes qui s'ouvrent et se referment, les personnes appelées d'un bout à l'autre du couloir et il décortique minutieusement les bruits, les isolant les uns des autres pour mieux les supporter : le chariot cognant contre la rambarde, la louche qui tape contre la marmite, les roues grinçantes du même chariot, les plateaux qui glissent sur d'autres plateaux, les verres qui s'entrechoquent, les voix du surveillant et du détenu qui disent les mêmes choses à chaque cellule ouverte. *Cordon bleu ? Courgettes ? Kiri ? Yaourt ? Bon appétit !* Loup mange lentement, mâchant les aliments comme s'il les pressait encore et encore pour extraire un goût quelconque. Il rend son plateau et, après, c'est le crépuscule qui envahit la prison de sa couleur floue et de ses fantômes. C'est l'heure où toutes les angoisses montent, où les bébés se mettent à pleurer et les adultes soupirent sans raison. L'air semble se fragmenter et cette bascule qui depuis la nuit des temps a fait peur aux hommes est ici un gouffre. Loup se tient près des barreaux, le plus près possible du monde.

Garder le cœur fermé, garder le cœur fermé.

Des autres galeries, des autres alvéoles, à travers les barreaux, des mains sortent pour agiter un bout de linge blanc. À quoi ça sert ? se demande Loup. À dire qu'ils sont vaincus, qu'ils se rendent ? Il y a des conversations, des éclats de rire moqueur, il y a des insultes, des menaces. Quand la nuit recouvre tout, que d'autres surveillants ont pris leur poste, quand les échos dans les couloirs se mêlent aux courants d'air, il y a ces hommes qui appellent, certains le nom d'autres détenus, certains des prénoms féminins et, dans le soir, ces prénoms de femme n'ont rien d'autre à offrir que le creux de l'absence et le puits des regrets. Il faut être humble à ce moment-là, devant cette humanité entravée qui crie parce qu'il n'y a plus que la voix qui porte entre les barreaux, il n'y a plus de mains, plus de caresses, plus d'étreintes.

La nuit avance telle une vague, elle se soulève de toutes ces voix puis elle s'écrase et le silence ce n'est pas mieux.

L'œilleton s'ouvre plusieurs fois, on lui dit *il faut dormir* mais alors ce n'est ni sa mère ni sa sœur ni un ami et les mots restent à la porte, ne l'atteignent pas.

Il somnole peut-être et, parfois, il reconnaît sa propre voix qui crie. Qu'est-ce qu'elle crie ?

Un oiseau.

Les nouveaux mots

Paloma ne se doutait pas qu'elle parlerait autant pendant cette première semaine et que s'ouvrirait devant elle un vaste monde parallèle ou caché ou ignoré qu'elle voudrait pouvoir nommer comme on nomme un pays. C'est un monde qui commence quand vous avez un proche en prison. Elle apprend de nouveaux mots : numéro d'écrou, cantiner, PJJ, et ceux qu'elle connaissait avant se transforment : parloir, greffe, linge. Elle parle à des gens qu'elle ne connaît pas : l'éducatrice référente qui s'appelle Marion, le directeur de la maison d'arrêt qu'elle appelle Monsieur. Elle écrit au juge qui a mis Loup en préventive. À tous elle doit raconter qui elle est (la sœur, âgée de vingt-huit ans, célibataire, sans enfant), son travail (documentaliste en CDI depuis sept ans), sa situation (locataire d'un logement de 50 mètres carrés à 16 kilomètres de la maison d'arrêt), son intention (visiter son frère, apporter du linge à son frère, virer de l'argent à son frère pour qu'il puisse canti-

ner, prêter des livres à son frère, sortir son frère de prison).
Elle parle au docteur Michel qui est toujours en exercice et
qui promet une lettre. La lettre qui lui parvient deux jours
plus tard dit qu'il a mis Loup au monde et le suit régulièrement. Il écrit que Loup est un garçon sage, un peu dans
la lune, sujet à des crises d'angoisse. Loup, écrit-il de son
écriture de médecin, ne ferait de mal à personne et de tous
les endroits sur terre, la prison est le seul qu'il ne supporterait pas. Paloma n'est pas d'accord et elle liste dans sa tête
les endroits que Loup ne supporterait pas : une cave, un
trou, une montgolfière, une île déserte, sous la mer, une
maison hantée, le creux de leur jardin. Elle fait cela pour
se protéger de la violence de la phrase du docteur Michel
qui fait rejaillir cette angoisse de ne pas savoir, en réalité,
comment il passe ses journées, comment il résiste à cette
cellule, à quoi il pense, à qui il pense, avec qui il parle et
de quoi, comment il se tient face aux autres qui sont moins
doux, plus étranges.

Elle parle tous les jours à Marion et quand elle lui confie
son angoisse, Marion lui dit *Il est calme, je l'ai vu, il est
calme.* Paloma a l'impression qu'elle parle d'un animal sous
sédatif. Il est calme.

Paloma ne se doutait pas qu'elle parlerait à sa mère
tous les jours, cette semaine. Ce sont des conversations
qui sont simples, qui ne supportent pas le silence entre
deux phrases mais qui sont sans une once de mensonge et
de faux-semblants. Quand Paloma apprend que son permis de visite est accordé et qu'elle a rendez-vous au parloir,
le vendredi, à 14 heures, c'est à sa mère qu'elle téléphone

d'abord et cette fois-là, entre elles, il y a un silence qui est fait de soulagement et de joie à la fois. Phénix dit *Je suis contente* et Paloma s'accroche à cette phrase comme si c'était un bijou précieux qu'elle ne peut pas se permettre de perdre et elle répond tout doucement pour ne pas leur porter malheur *Moi aussi*.

La maison d'arrêt se trouve dans un quartier résidentiel et, d'abord, Paloma croit s'être trompée d'adresse mais non, c'est bien ici, au bout de cette route bordée de pavillons et, en ce début d'été, les fleurs dévalent, grimpent, s'affichent. Elle longe le trottoir et à travers les haies il y a des balançoires, des cabanes d'enfants, des chaises de jardin, et quand elle voit ça, Paloma, elle pense au jardin de sa maison là-bas, à moitié envahi par des pièces détachées et à moitié abandonné. Elle pense au creux et toujours, ça lui fait comme la peau d'une vieille peur qui revient se frotter contre son bras. Au bout, là-bas, il y a la maison d'arrêt et qu'est-ce que c'est ce bleu, ce blanc immaculé, qu'est-ce que ça fait ici, ne faudrait-il pas du gris, du noir pour préparer les cœurs et les âmes ? Paloma s'avance, lestée d'un sac de voyage avec des vêtements pour Loup (de toutes les couleurs sauf du bleu marine, pour éviter la confusion avec l'uniforme des surveillants), elle a une bonne demi-heure d'avance mais dans ce pays parallèle tous ceux qui ont parloir, comme on dit, viennent avec de l'avance. Ce ne sont que des femmes, de tous âges, qui sont présentes mais elles ne font pas la queue. Elles parlent, elles fument, elles restent assises à regarder dans le vide. Certaines surveillent leurs enfants dans un minuscule parc aménagé à côté de la petite maison qui accueille les familles. Paloma n'y entre pas et dans ces moments-là, quand on est forcé de regarder vers le bas, quand on se met à côtoyer les invisibles et les non-puissants, ce n'est pas toujours la bienveillance qui nous guide. Paloma voudrait leur dire, haut et fort, qu'elle est là par hasard, qu'elle n'a pas l'habitude, qu'elle n'est pas comme elles, ces femmes qu'elles trouvent un peu vulgaires, un peu grosses, trop maquillées… Une jeune femme se retourne vers elle en la regardant franchement, comme si elle avait entendu ses pensées et oui, dans son regard, Paloma est à nu, à vif, soupesée avec ses idées pas joli-joli et elle est honteuse mais que faire ? Le cœur est à nettoyer chaque jour, à chaque épreuve. Quand l'heure approche, les femmes se mettent en ligne, lentement, et les enfants viennent tenir la main de leur mère. Soudain, tout le monde se ressemble devant cette maison d'arrêt à la devanture bleue et blanche. Le cœur tremble, la gorge s'assèche, l'esprit est tourmenté. Quand c'est au tour de Paloma, elle dit le nom de son frère et son numéro d'écrou, elle présente ses papiers, elle fait passer son sac dans un appareil de détection électronique, elle-même passe sous une arche comme dans les aéroports et elle est de l'autre côté. Écrou 16587 est mon frère, ne cesse-t-elle de se répéter dans sa tête.

Le dedans et le dehors ensemble

C'est une salle qui fait penser à une salle de classe de primaire parce qu'il y a le même mobilier aux pieds jaunes. Il y a huit tables carrées, entourées parfois de deux chaises, parfois de quatre. Paloma s'installe à une table au fond de la pièce et, dehors, il y a de longs bips, des grésillements, des bruits de portes, de clés, de bottes, de grilles qui glissent, des gens qui appellent et d'autres qui répondent.

Non, ce n'est pas dehors, c'est de l'autre côté, à l'intérieur, dans le ventre, et c'est comme ça que Paloma imagine cette prison en ce moment, tel un animal, et elle pense à son frère qui marche jusqu'à elle, dans les entrailles de cet animal. C'est une pensée qui l'embarrasse un peu ; elle devrait pouvoir, à son âge, regarder les choses en face, les imaginer sans en faire un conte pour enfants, si horrible soit-il.

La couleur du mur est indéfinissable. Il était peut-être blanc avant ou beige ou jaune pâle mais après tout, comment peut-il être autre chose que cette couleur-là, qui semble bouger avec la lumière, changer quand on bouge la tête, vous regarder quand vous le fixez ? Ici est l'endroit où le dehors côtoie le dedans, où les envies ne sont jamais assouvies, les choses jamais entièrement dites et celles-ci restent là, sur les murs, dans l'air.

Paloma ne s'attendait pas à ce que son frère soit le premier qui passe la porte, elle s'imaginait attendre, être la dernière, s'impatienter mais non, elle n'a pas le temps de tout ça. Loup est là, accompagné d'un surveillant et il se dirige vers elle et évidemment, ce n'est plus le garçon de sept ans qu'elle avait laissé à une table, devant une part de forêt-noire et à qui elle avait dit *Je reviens te chercher très vite.*

Loup est grand, comme leur mère, il est beau, comme leur mère, et il avance vers Paloma comme s'il était sans peur, sans attente, mais arrivé devant elle, ses yeux se dévoilent et on dirait quelque chose qui lutte pour sortir, qu'est-ce que c'est, une parole, une pensée, une larme, un enfant ?

Comment contracter dix années d'attente et en faire une phrase qui serait à la fois douce et vraie, se demande Paloma, jeune femme qui prend si peu de place dans le monde et qui a gardé de son enfance l'habitude de s'asseoir sur le bord des chaises, immobile, si immobile. Ce qu'elle voudrait lui dire forme un magma de pensées, d'émotions, de questions, de sentiments, c'est là dans sa gorge et bon sang, dis quelque chose ! Au lieu d'ouvrir la bouche, Paloma pince les lèvres, déglutit, avale, et Loup, de l'autre côté de la table, se souvient de cette expression-là, oui c'est bien sa sœur cette femme-là et il dit :

— Comment ça va Paloma ?

— Oh, Loup.

Loup, répète-t-elle encore et encore, les larmes aux yeux, comme si en lieu et place d'une phrase, elle avait trouvé un mot qui dise ces dix années, un mot doux et vrai à la fois.

Ils ont une demi-heure et ils ne disent pas grand-chose au contraire des autres qui parlent, demandent, discutent et se touchent. Paloma et Loup ont leurs mains posées sur la table et cette proximité leur suffit, eux qui ont grandi dans l'amour distant que leur procurait leur mère, un amour prudent, un amour dont on avait l'impression qu'il pouvait s'échapper au moindre bruit. Ils savent se contenter de cela, de voir leurs mains côte à côte et parfois ils se sourient. Quand il leur reste cinq minutes, Paloma lui dit qu'il sera entendu chez le juge mardi prochain. Loup acquiesce en soufflant, il tremble un peu et Paloma imagine ce qu'il retient d'espoir, ce qu'il garde de souffrance d'être ici et ce qui l'anime du dehors qu'il ne peut qu'entrevoir désormais.

— Il y a une chose, Loup. Maman doit être là pour l'audience, c'est elle qui a l'autorité parentale.

— Elle ne va jamais vouloir venir ici, elle déteste cette ville.

— Oui, je sais. Mais je crois qu'elle va venir. Pour toi.

Et sur cette phrase, les dernières minutes s'écoulent en silence. Il y a les embrassades et les promesses et Paloma est dehors, si vite, étourdie par la lumière, par les voitures, par les gens qui marchent tranquillement, par les fleurs bien arrangées dans les jardins et le ciel si bleu, par-dessus tout ça, comme un mensonge.

Ce que Loup ne dira jamais

Qu'il trouve parfois consolation dans les rouages de cette machine où le temps est maître. Les levers, les repas et les couchers sont à heure fixe, il sort deux fois par jour pour la promenade dans la cour et, depuis la lettre du docteur Michel au médecin de la maison d'arrêt, il a le droit de courir pendant une heure, chaque après-midi, sur une pelouse (Andalouse, Toulouse) où ses pieds s'enfoncent un peu. Quand le jour se lève, il sait que sa journée se déroulera sans lui, c'est une manière de dire n'est-ce pas, mais si quand même un peu. Son esprit pourrait être tout à fait ailleurs, dans un autre pays, à une autre époque ou alors tout en lui, loin en lui, et son corps continuerait à exister ici. Il nettoierait sa cellule le matin avec le balai, la serpillière, et le surveillant le regarderait du coin de l'œil. Il mastiquerait son petit déjeuner. Il irait prendre une douche. Il retournerait dans sa cellule et celle-ci pourrait ne plus s'ouvrir avant le déjeuner. Son corps serait là bien sûr, couché levé assis, mais son esprit serait en train de nager, de courir, de regarder la télévision. Son corps se couvrirait de plaques rouges, il se gifferait dans son sommeil, il perdrait du poids, il ne parlerait plus mais son esprit serait ondulant telle une grande voile légère dans le vent.

Il reçoit la visite de son éducatrice qui dit *J'ai bon espoir, votre sœur se démène, ça se présente bien,* il est emmené deux fois dans une classe avec un enseignant qui l'appelle *mon pote* mais comme il est prévenu, on le laisse tranquille. Il peut même lire des BD. Il a tout le temps peur : des détenus adultes qu'il peut voir et entendre à l'étage supérieur, à travers le filet, de ceux qui sont dans les cellules à côté de lui, des voix qui traversent les murs, de la nuit qui semble durer une éternité, des petites mouches qui viennent le soir vrombir autour de l'ampoule (maboul, Séoul), des mains qui lancent des yo-yo d'une cellule à l'autre et des visages, tant et tant de visages qui apparaissent à travers les barreaux et leurs yeux surtout, à tous, si sombres, si perçants. Il a peur de devoir rester ici pour longtemps, il a peur qu'on l'oublie tellement il est silencieux et transparent, il a peur que cet endroit l'avale pour ne jamais le recracher.

Le chemin inverse

Phénix a pensé à Fanny, encore, au petit matin, tandis qu'elle marchait vers la grille, avec une pince et une tenaille. Cette fille qui vivait dans le wagon abandonné avec ses trois chiens. Elle se souvient clairement de la façon dont les chiens se tenaient autour d'elle, quand elle marchait en ville ou qu'elle faisait la voyante contre quelques euros. Ils avaient cette manière de lever la tête doucement vers ceux qui approchaient Fanny et cette manière était si humaine, si menaçante. Fanny avait le diable dans la tête, elle se mettait à danser ou à rire sans raison mais quand elle regardait Éliette, son regard devenait noir comme ceux des requins. Peut-être qu'elle lisait dans son avenir, en réalité, peut-être que ça défilait dans sa tête et, de ses yeux sans fond, elle voyait : le feu, la folie, cette maison, les deux enfants sans père. Peut-être qu'elle pressentait la solitude et le désarroi de ce matin précisément tandis que, pieds nus, vêtue d'une chemise de nuit blanche, Phénix essayait de décrocher la pancarte « Pièces détachées, ouvert du lundi au samedi ».

Elle s'acharne à couper le fil de fer mais celui-ci est épais, rouillé, torsadé tant de fois autour de la grille. Elle a peu dormi de la nuit, a pensé à ce voyage en train qui l'attend, aux chansons qu'elle chantait dans le salon jaune, à ces robes dans lesquelles elle était corsetée, à son visage maquillé à outrance, à cet homme, ce Jean ou ce Gérard, qui l'avait embrassée de force et, traversant toutes ces années, elle avait eu ce goût de tabac et de sueur, elle avait retrouvé, ô vieille douleur, cette boule au ventre.

Il faut songer à son corps où se dessinent des lierres, des liens, des dragons et des phénix. Toutes ces choses qui grimpent, se tissent, s'envolent et se déploient parce que toujours Phénix a rêvé d'être ainsi, mais ce matin il n'y a plus de place pour ces promesses d'avant. Ce matin, elle tire, elle arrache, elle secoue cette pancarte qui ne cède toujours pas et dans ce corps gonfle la colère, ô vieille amie.

Il faut l'imaginer jeter la pince et le sécateur, courir vers le garage, toujours pieds nus, foncer vers le mur à outils, s'emparer du marteau, revenir vers la grille et abattre à grands coups cette pancarte qui se fend, se brise, éclate enfin et il n'y a personne pour l'entendre crier, dans le rose du jour qui se lève, cette Phénix, qui a l'air d'une folle ou d'une hystérique ou simplement d'une femme éperdue de chagrin.

Elle se douche longuement, se lave les cheveux, épile ses sourcils, essaie plusieurs boucles d'oreilles avant d'en choisir une paire.

Elle revêt une longue robe simple, d'un vert pâle, qu'elle enfile par-dessus la tête – lui revient comment sa mère aimait tenir un tissu entre les doigts, le faire glisser parfois sur son avant-bras et réfléchir à ce qu'elle pourrait en faire –, elle chausse des ballerines plates. Elle couvre ses bras tatoués d'une veste à manches longues. Elle colore ses lèvres un peu, juste comme ça. Avant de sortir, elle décide de se tresser les cheveux. Elle ne sait pas qu'elle est magnifique avec cette robe qui lui arrive aux chevilles, cette natte qui tombe sur son sein droit, ce visage presque nu qui ne flanche jamais, qui ne dévoile rien de ce qui lui travaille le cœur, de ce qui lui anime l'esprit.

Phénix ferme la maison et le garage, elle fait le tour du jardin en marchant sur le sentier damé, elle s'arrête un moment devant le creux qui est toujours un creux, elle regarde autour, oh juste comme ça, histoire de tout prendre d'un coup, d'un seul regard, dans ses bras presque. Elle essaie de ne pas penser aux nombreux jamais qui ont jalonné ces dernières années. Je ne partirai jamais d'ici, je n'enlèverai jamais cette pancarte posée par Noah, je ne retournerai jamais à C., je n'adresserai jamais plus la parole à Paloma, je ne pleurerai plus jamais. Elle cadenasse la grille et s'en va.

Phénix a certes peur de ce qui va se décider pour Loup, elle est encore en colère contre lui, un peu aussi peut-être contre Paloma mais tandis qu'elle s'éloigne de cette maison, d'abord en marchant, ensuite en prenant un train, puis un deuxième, elle s'autorise à penser à la petite fille qu'elle avait été, à cette Éliette qui jouait dans une cabane improvisée dans sa chambre et elle a l'impression étrange, curieuse, d'être sur le point de la retrouver.

Et toutes ces heures avant ce moment qui se refuse à elle, qui la fait languir et dans cette attente, dans cette absence, il y a le cœur qui bat, le ventre qui tourne et l'esprit qui mélange l'ici et le là-bas, l'hier et le demain, le peut-être et le certainement mais il faut se tenir droit, si la vie lui a appris quoi que ce soit, c'est ça, se tenir le menton un peu relevé, les épaules en arrière. Ce moment tic-tac dans sa tête tic-tac dans tout son être, cette foule qui avance, tous ces visages, ces corps, ces habits, ces sacs et toujours le cœur qui bat, le ventre qui tourne, l'esprit qui ressasse *comment tu vas la reconnaître, vas-tu la reconnaître, et si elle ne vient pas, et si elle n'est pas là, ça fait dix ans, comment elle va être* et soudain.

Ce n'est jamais comme on a imaginé, n'est-ce pas ?

Il y a ce regard échangé de loin. C'est la mère qui avance vers la fille parce que cette dernière est pétrifiée – par cette beauté, par cette vague d'émotions qui l'atteint, par le poids de ces dix années, par la difficulté à être l'enfant de sa mère – et toujours le cœur qui bat, le ventre qui tourne, l'esprit qui se débat pour trouver les mots qui conviennent, mais en réalité c'est autre chose qui prend le dessus et ça ressemble à un début, à quelque chose qui s'ouvre et qui offre on ne sait pas encore quoi, on ne sait pas encore comment mais on espère que ça ressemblera à de la tendresse et, pour l'instant, ça leur suffit.

Et de l'autre côté de la ville, derrière les murs, le long d'une coursive, derrière une porte jaune, dans sa cellule, le fils se tient droit, aussi, et il attend, aussi, qu'on vienne le chercher pour l'audience devant le juge. Il y aura Marion, Paloma, sa mère et lui. Marion dit qu'il devra prendre la parole, un peu, dire pourquoi il a fait ce qu'il a fait, parler de ses « projets d'avenir ». Marion dit que sa sœur a tout préparé et que sa mère sera là. Marion dit que si tout se passe bien, il pourrait sortir ce soir. Marion dit beaucoup de choses sur les amendes à payer, les garanties, la surveillance, le droit chemin, mais Loup n'écoute pas tout. Il se demande si, dehors, ça a une odeur particulière. C'est une question qui l'obsède depuis qu'il est en prison parce qu'ici, il le sait, chaque chose a un son et une odeur. La grille, la porte, les murs, la table, la chaise, le lit, le matelas, la brosse à dents, les barreaux, la peinture qui s'effrite, l'interrupteur, l'ampoule, le dessous de la chaise, le sol près de la porte, le sol près de la fenêtre. Lui-même porte-t-il toutes ces odeurs-là désormais et est-ce que toujours son oreille se souviendra du bruit de la porte de sa cellule, du frottement de ses mains contre les barreaux, du crissement de ses cheveux contre le drap, de sa propre voix, la nuit quand il appelle ? Huit jours ici et ceux qui disent qu'on s'habitue à tout sont des menteurs.

Un jour pour Loup

Et à voir son visage toujours ouvert, franc, mais à attendre ce sourire qui ne vient pas aussi facilement qu'avant, Phénix se demande ce que ces huit jours ont fait à son fils. À voir ces plaques rouges qui recouvrent son cou et ces petits boutons en stries sur ses joues, Paloma pense au reste du corps de son frère couvert peut-être de stigmates que seuls des jours en prison peuvent provoquer et sa tête, l'intérieur de sa tête, comment se l'imaginer sans chagrins sans regrets ?

Alors peut-être cette mère et cette fille qui se tiennent l'une à côté de l'autre sourient de ces sourires qui n'atteignent pas les yeux, et Loup toujours qui a su voir derrière la peau des visages, au-delà des masques des gens, reconnaît ce sourire plaqué qu'il sait être un leurre. Il remarque les lèvres pincées de sa sœur et la veine sur le front de sa mère qui gonfle, il voit leurs yeux vidés de couleur, il pourrait les imiter et leur renvoyer leur propre image comme le ferait un vieux miroir terni mais à quoi bon, son cœur est fermé.

L'audience a lieu dans un bureau où ils sont six : Loup, Marion, Phénix, Paloma, le juge, et dans le coin une autre femme qui a les mains au-dessus d'un clavier. Oui, dans ce pays qui tente de limer rond les bords abrupts du malheur et du chagrin, on reçoit parfois les enfants, les mineurs, les jeunes, que dire, dans un bureau comme tous les bureaux. Au mur, il y a des posters et des dessins d'enfants et que disent-ils ?

Ils disent deux personnes qui attendent dans un bar la nuit adossées contre le zinc, ils disent deux cœurs gros comme ça et rouges comme ça dans le ciel et sous les cœurs et le ciel il y a un enfant allongé dans des fleurs, peut-être des marguerites. Ils disent des mots « merci », « joyeux Noël ». Ils disent un grand arbre dont chaque branche est dessinée et chaque feuille aussi avec ses veinures et ses courbures et rien qu'à voir cet arbre on sent le vent et le bruit qu'il fait quand il effleure chaque feuille de chaque arbre. Vraiment, le dehors ça a une sacrée odeur.

Loup s'assied devant le juge mais d'abord il regarde ce mince filet de jaune à la pointe de sa chaussure. C'est un rayon de soleil et il prend son temps, le garçon qui a passé huit jours en prison. Huit jours, ce n'est presque rien à la face du monde mais le monde n'est qu'un vieux songe en prison, alors il regarde ce rayon et le remonte comme si celui-ci était le bout de fil par lequel il reprendrait le cours de sa vie doucement, doucement, Loup. Il tire vers lui ou plutôt il le suit ce jaune ce clair ce petit soleil et ça fait un trait tremblant sur le parquet du bureau parfois tout plat parfois tout tordu et bientôt ce rayon arrive à la fenêtre où il n'y a pas de barreaux et Loup a le visage tourné vers ce dehors, vers cet éclat jaune et jamais plus il ne sera le même, il le sait.

Le juge lui parle. C'est un homme qui porte une chemise blanche, des lunettes en écailles et qui a l'air d'un homme qu'on pourrait trouver dans n'importe quel bureau de la ville et il lit les faits, comme il dit. Cet homme ne paie pas de mine mais il connaît bien l'histoire de ce pays et il connaît les prisons de ce pays et ces choses qui n'existent qu'entre les murs, cet écrasement de la pensée, ce tassement du corps, cette réduction de l'âme.

Bien sûr que Loup se souvient de cette nuit où il a roulé et roulé encore, passé sans encombre les péages et il avait mis une radio où les gens appelaient pour passer leur musique préférée ou pour dire à lui à elle à eux combien ils étaient aimés, combien leur absence pesait, combien leur présence comblait. Loup conduisait, il avait fait le plein aussi, il connaissait ces choses-là, il avait vu sa mère faire plusieurs fois, ça entrait en lui simplement ces gestes-là, il lui suffisait de regarder, c'était comme à la maison quand il fallait réparer les petites choses il savait faire sans même qu'on lui dise comment.

Et c'est vrai que la peur était apparue quand il était sorti de l'autoroute et après c'est le juge qui le dit le mieux : à contresens, carambolage, accident grave évité de justesse, refus de suivre les gendarmes, tentative de fuite à travers champs.

Loup voulait seulement courir pour se calmer mais il ne dit rien, à quoi ça servirait de répéter la même chose encore, il écoute ce juge parler, il écoute Marion, sa mère et sa sœur parler.

Elles disent qu'elles ont des garanties, elles disent des pardons des regrets des excuses elles présentent des papiers, elles racontent une vie dehors où Loup serait surveillé de plus près dorénavant. *Surveillé*, dit le juge, *qu'est-ce que vous voulez dire par là ?* et Phénix dit de sa voix rauque qui fait penser aux chanteuses qui chantent des choses tristes et bleues *Je ferai en sorte qu'il ne reprenne pas la voiture seul.*

Le juge rétorque *Mais je ne crois pas que c'est là le problème, madame* et c'est comme un coup au ventre pour Phénix qui sait exactement ce que cet homme veut dire, cet homme qui ne les connaît qu'à travers des papiers et des faits comme il a dit, mais qui a compris que le problème ce n'était ni la voiture ni le permis. C'était elle et la façon dont elle avait élevé ses enfants ou, plutôt, c'est la façon dont elle avait éloigné ses enfants. Elle regarde Paloma et pour la première fois elle souhaiterait voir ce moment où elle est doucement écartée, où d'autres qu'elle décident, d'autres qu'elle s'inquiètent, se mettent en colère, d'autres qu'elle font ce qu'il y a à faire.

Mais, au lieu de se tourner vers Paloma, le juge regarde Loup.

Tu voudrais dire quelque chose, Loup ?

Au même moment la lumière grimpe sur la chaussure de Loup, y a-t-il une relation entre cette chaleur et la voix et la question mais jamais on ne lui a demandé son avis ou alors si rarement. On l'a toujours protégé de lui-même, protégé des autres. Est-ce si extraordinaire qu'après ces huit jours il se sente assez loin de ce qu'il avait été pour raconter sans trembler et ce qu'il raconte est un rêve qu'il a fait quand il s'est couché ce vendredi soir et il dit comme ça, Loup, avec ses mots mélangés et sa manière de faire rimer les mots, il dit comme ça :

« Je me suis endormi dans la chambre de Paloma que maman ne touche pas depuis que Paloma est partie maman n'achète plus de forêt-noire non plus et parfois maman fait semblant de ne pas voir que je couche dans son lit mais elle le sait. Je sais qu'elle le sait parce que parfois quand je rentre dans la chambre de Paloma il y a l'odeur de maman c'est une odeur vapeur moqueur qui n'appartient qu'à maman c'est de l'essence de la rouille du jasmin de la terre du jardin et je sais qu'elle est venue ici mais je ne sais pas ce qu'elle y fait peut-être qu'elle vient là parce que Paloma lui manque aussi mais ça, jamais elle ne me l'a dit. Je dors dans le lit de Paloma ce soir, j'ai eu ma séance chez le docteur Michel et je suis fatigué que le docteur me parle de ma naissance et de la beauté de ma mère et de ma sœur qui était encore petite et qui regardait dehors. Je m'endors et je me réveille trop vite c'est déjà le matin mais je suis dans ma chambre celle au bout du couloir espoir victoire j'entends maman dans la cuisine je me dis que ce n'est pas encore tard je ne sais plus si je dois aller au centre de formation de mécanique ou si je dois aller au garage en ville pour faire l'apprenti et je n'aime pas ne pas me souvenir soupir ouvrir des choses je n'aime pas que la journée se passe comme ça, alors je me lève. Le couloir est court le couloir n'est pas comme avant il est tout clair ça m'éblouit je me rends compte que la lumière du matin traverse la cuisine et arrive jusqu'à la porte de ma chambre ce n'est pas normal je sens ce que je sens quand les choses ne sont pas comme elles doivent être, je respire mal je transpire des mains j'ai envie de courir et je crie maman et elle me répond je suis dans la cuisine mais je ne comprends pas sa voix est dans mon oreille comme si elle était à côté de moi tout près. J'avance pas à pas je sais qu'à droite se trouve la chambre de Paloma mais il n'y a plus sa chambre, il y a maintenant le salon je ne comprends pas ce qui s'est passé et maman arrive elle me dit qu'est-ce qui se passe et c'est toujours ce qu'elle dit quand elle me voit jamais bonjour jamais comment ça va mais toujours qu'est-ce qui se passe. Je me souviens que Paloma disait toujours bonjour mon p'tit loup mais ça c'était avant la forêt-noire mémoire espoir et je dis maman où est la chambre de Paloma et elle dit la chambre de qui ? je redemande où est la chambre de Paloma et elle dit qui ? de qui tu parles ? et ma tête tourne je dois aller au centre ou au garage je n'aime pas être en retard et ma mère répète c'est qui Paloma ? et je réponds mais c'est ma sœur et elle se met à rire dans mon oreille comme si c'était la meilleure de l'année et je comprends que je n'ai pas de sœur. Je fais le tour de la maison et il n'y a plus rien à elle pas une photo pas une odeur pas un son rien et je l'appelle fort comme ça très fort Paloma Paloma et je finis par me réveiller dans sa chambre et je ne sais plus ce qui est vrai ce qui est faux ce qui est un rêve ce qui est la réalité si j'ai une sœur douceur chaleur ou pas si de tout ça j'ai rêvé si tout ça je l'ai espéré. Vous comprenez alors j'ai pris la voiture de maman sans rien dire en pleine nuit parce que je n'en pouvais plus de ne pas savoir et je suis venu ici parce que parfois il faut savoir pour pouvoir continuer à vivre. »

Un endroit comme ça

Il y a des endroits comme ça qui restent cachés au monde pendant des années et seuls ceux qui savent, savent.

C'étaient en ces jours-là, où le diable ne trouve pas un endroit sombre pour se tapir tant la lumière s'attarde et s'accroche. Il est partout ce jour, dépouillant, dénudant, allégeant et il ne fait plus peur ce jour sans fin ou alors si peu.

Paloma tenait cet endroit de son grand-père, il l'emmenait faire du cerf-volant ici et, parfois, cette jeune femme menue et discrète semble entendre sa propre voix d'enfant qui éclate en fines bulles dans le bruit du vent et c'est doux comme un souvenir heureux.

Éliette connaissait aussi ce lieu mais Phénix ne veut pas le reconnaître, elle dit qu'elle n'est jamais venue ici bien qu'à l'intérieur de sa tête gratte quelque chose mais c'est trop tôt encore pour ces souvenirs-là.

Loup marche lentement, il est nouveau à ce lieu mais il

n'est plus innocent au monde comme il l'a toujours été. Il a éprouvé les jours et les nuits dépouillés de leur tendresse, il a marché dans les heures vides qui encrassaient sa cellule, il a goûté aux mots qui n'ont plus de sens lorsqu'ils sont dits face un mur, contre un angle, devant une porte close. Il a fermé son cœur. Devant lui, il y a sa mère et sa sœur qui se retournent régulièrement pour le regarder et il entend leur amour si particulier pour lui, un amour imparfait, intranquille. À l'une et à l'autre il essaie d'offrir son sourire d'avant mais ce n'est pas tout à fait ça encore, c'est bien trop tôt.

Il était une fois un endroit ouvert sur la mer, le ciel et la terre. Dans cet endroit, chaque chose avait une histoire et chaque chose contenait une promesse. Loup les goûte une à une, de son corps, de son visage, de ses mains qu'il ouvre en grand et sa bouche aussi. Il lui semble que ce ne sera jamais assez d'offrandes et qu'une vie entière dans ce vaste monde ne sera pas suffisante pour toutes les dire, toutes les tenir.

REMERCIEMENTS

Merci à Jean-Marie Landais et à Anne-Sophie Cortinovis.

Composition : Nord Compo
Achevé d'imprimer
par CPI Firmin-Didot
à Mesnil-sur-l'Estrée, en juin 2019
Dépôt légal : juin 2019
Numéro d'imprimeur : 153402

ISBN : 978-2-07-285860-4/Imprimé en France

356231